D1329798

LA *VIE*

LE RAPPELLE

À LA *VIE*

Louise Courteau, éditrice inc.
481, Chemin du lac St-Louis Est
St-Zénon (Québec) Canada
J0K 3N0

Illustration de la page couverture : Jac Lapointe.
Photo de l'auteur : Studio Robillard (Granby, Qc. CANADA)

Dépôt légal : Dernier trimestre 1994
Bibliothèque nationale du Québec
Bibliothèque nationale du Canada
Bibliothèque nationale de France

ISBN : 2-89239-177-6

YVES-ALAIN DURANLEAU

LA *VIE* LE RAPPELLE À LA *VIE*

PRÉFACE DE ANTHONY ROBBINS

Remerciements

Je tiens à remercier du plus profond de mon coeur tous les gens qui ont cru en moi, en ma réadaptation et dans la rédaction de ce livre.

Un merci spécial à Anthony Robbins et son équipe ainsi qu'à Guy J. Desmarais.

À ma famille, mes parents Céline et Fernand et à mon frère Jean-François : ils m'ont donné le courage et la force de surmonter cette épreuve.

Ce livre fut réalisé grâce à l'étroite collaboration des Guides qui ont su me diriger au moment opportun vers les personnes clefs dans la création et la réalisation de cet ouvrage. J'ai demandé qu'ils éclairent ma route et ils m'ont toujours indiqué la bonne direction.

Merci à toutes les personnes qui ont prié pour moi et qui m'ont insufflé la dose d'Amour si essentielle à mon processus de guérison.

Table des matières

Préface de Anthony Robbins

Au cours de nos vies, nous rencontrons quelques fois des défis qui nous permettent de nous épanouir, de nous dépasser et d'aller au delà de notre destin, souvent malgré nos désirs les plus profonds.

Nous avons besoin de courage, de ressources et d'une très grande foi afin de surmonter ces épreuves et vraiment jouir de notre vie pleinement, dans toute sa richesse.

Yves-Alain Duranleau, suite à une grande tragédie, s'est créé un avenir prometteur, plein de perspicacité, de force et d'intime compréhension spirituelle. Yves-Alain a traversé le miroir de la mort mais a rebroussé chemin vers la vie terrestre, sachant que rien ne serait plus jamais pareil, démontrant ainsi un courage exemplaire.

Yves-Alain connaît maintenant sa mission de vie. Il se sent guidé pour partager, au plus grand nombre, ses connaissances et son expérience afin de démontrer que la réalité dépasse notre entendement. *La vie est beaucoup plus étendue que nous le présumons. Elle se répand sur de multiples dimensions* nous dit l'auteur, tout en affirmant que nous n'avons rien à craindre de la mort.

Yves-Alain a participé à une fin de semaine intensive intitulée : Unleash the Power Within (Découvrez votre pouvoir intérieur), laquelle lui a apporté une transformation extraordinaire, à la fois physique et émotionnelle. Depuis il fait partie du personnel de soutien lors de mes séminaires. Sa détermination est un exemple vivant de mes enseignements. Son implication dynamique facilite, chez les participants, l'intégration de la technologie nouvelle que j'ai créée.

Son progrès en réadaptation est phénoménal. Yves-Alain a vraiment compris comment créer sa propre réalité et il a changé sa vie. J'ai pour lui un profond respect.

Je le remercie d'avoir utilisé ma méthode pour dépasser l'illusion de sa propre perception afin de contribuer à l'expansion du niveau de conscience de l'humanité. Yves-Alain s'inscrit dans le grand courant d'espoir en notre avenir.

Merci Yves-Alain!

With love and respect,

Anthony J. Robbins
Chairman of the Board

* Anthony J. Robbins est l'auteur de *Unlimited Power* et de *Awaken the Giant Within*.

Avant-propos

Ce livre est le récit d'un étrange accident et des jours qui le précèdent. Il y est raconté, le plus fidèlement possible, tout ce qui entoura l'expérience de décorporation suivant l'impact. La retransmission des connaissances des maîtres de lumière, que je connus alors, conclut cet ouvrage. C'est après une bonne nuit de sommeil, ou encore lors de mes méditations quotidiennes, que je reçois des messages m'informant de ce que je dois écrire. Mes guides me parlent également la nuit et lorsque je suis dans un état approchant la transe.

Ce livre est le fruit d'un travail d'équipe car, seul, il m'aurait été pratiquement impensable de structurer de façon cohérente les notions que j'ai reçues lors de ce voyage. Je sais que parfois les mots humains sont déficients pour décrire cette dimension d'amour. J'ai cependant voulu en conserver le plus possible l'atmosphère.

Certes, j'ai à retransmettre un message d'amour, mais aussi un message d'unité et d'harmonie. La population de la Terre doit apprendre solidairement si elle veut sauvegarder sa planète. La Terre est une entité vivante; il faut apprendre à la respecter ainsi que tous ses habitants.

Le passé est terminé,

le présent est seulement pour un instant,

l'avenir reste à découvrir.

(Yves-Alain Duranleau)

Vivre, c'est avancer :
c'est-à-dire croître,
s'épanouir par le bonheur.
(Martin Gray).

L'Impact

Ce vendredi, le 10 avril 1987, je me sens trop amorphe; je n'ai ni l'énergie, ni le goût de conduire la voiture. Le matin même, j'ai assisté aux funérailles d'une copine, victime d'un accident de la route. La mort d'une personne que l'on côtoie, quand on est au début de la vingtaine, est un drame plus bouleversant encore qu'à n'importe quel âge.

Bien que la mort appartienne aux lois de la nature, celle de mon grand-père paternel m'a forcé à me questionner. Il était âgé de 68 ans et je l'aimais. Cependant, il est dans l'ordre naturel des choses de voir ses grands-parents quitter leur corps, qui les fait si souvent souffrir! Quelque chose en eux veut abandonner ce corps fatigué, usé comme un vêtement devenu trop étroit.

Il est plus difficilement "acceptable" de perdre une amie qui, quelques jours avant la minute fatale, souriait encore et faisait des projets. Manon était la première personne de mon âge qui disparaissait spontanément de mon univers. Je ne la reverrais plus jamais. Cette mort m'a plongé dans la confusion.

Il faisait soleil, je m'en souviens aujourd'hui. C'était même une belle journée de printemps que j'avais négligé de goûter, plongé que j'étais dans un brouillard intérieur fait de questions sur le sens de la vie et de la mort. Comment se faisait-il qu'un accident puisse interrompre, brutalement, les projets, la vie d'une personne que l'on connaît? Où vont les rêves et les projets des gens qui meurent?

J'avais le coeur gros et je refusais de conduire de Granby à Québec pour aller chercher le véhicule que mon père devait modifier. Mon oncle Julien avait pris le volant, tandis que la secrétaire de la compagnie Econ-O-Camp, qui voyageait avec nous, s'était installée sur le siège arrière de l'auto. Nous avions à peine roulé une dizaine de kilomètres quand, à l'intersection de la route, nous avons vu la niveleuse de la voirie amorcer un virage à gauche, s'emparant ainsi des deux voies. Mon oncle tenta d'éviter le mastodonte. Il donna un coup de volant vers l'entrée d'un ancien hôtel à Sainte-Cécile de Milton. Le gravier frais de l'accotement provoqua le dérapage contre un poteau d'électricité. L'impact fut si intense que le poteau fut arraché de son socle de métal et bondit dans les airs. Arrêté par les fils électriques, il retomba sur l'auto, côté du passager. Le poteau frôla mon visage mais frappa mon oncle de plein fouet.

Oncle Julien était un homme bon, qui tentait de me détourner du paysage de la mort de mon amie en me racontant des blagues qui, habituellement me faisaient bien rire. Je crois même qu'il était parvenu à me dérider un peu, avant l'impact. À mon oreille, retentit encore le son sourd d'une énorme citrouille projetée contre un mur de ciment, avec une force diabolique.

Une fraction de seconde et je suis entré dans un espace hors-temps. J'ai été littéralement éjecté de mon corps. Je voyais les moindres détails de l'accident, que j'observais à 100 mètres de hauteur.

Je suis entré dans une matière souple et mouvante composée de nuages joyeux (je retrouvais donc un peu mes émotions). Ce paysage, constitué de milliards de particules vivantes, était surplombé d'une coupole blanche et lumineuse, croisée en son centre par un trottoir suspendu, sur lequel je glissais comme sur un tapis roulant. Je fus aspiré à une vitesse étourdissante par une spirale de lumière. Ce tunnel, ou couloir, avait les propriétés d'un aimant extrêmement puissant. J'entrai soudainement dans une vaste pièce de lumière, sachant que seuls les morts ont accès à cet espace. Douze personnes calmes, sereines, étaient attablées. Je dirais que l'iconographie la plus représentative de ces personnages serait La dernière Cène de Léonard de Vinci. Les douze apôtres (j'en avais la certitude) étaient présents, mais le Christ, absent. La communication s'est établie sans effort et sans mot. La communication pure. En s'observant mutuellement, les questions devenaient des réponses. Ils savaient tout de moi et moi tout d'eux.

C'était un moment d'intense communication; plus encore : de totale communion! Être là, c'était spontanément connaître l'Univers, être l'Univers. Tous ces mots inutiles, je le sais maintenant, pour tenter de rendre ce qui Est.

L'un des douze m'insuffla, dans son langage transdimensionnel, qu'il serait souhaitable que je retourne sur Terre, afin de réaliser ma mission.

Je sais, aujourd'hui, à quel point ce mot a été galvaudé. C'est d'ailleurs un mot que j'excluais de mon vocabulaire. Il était, de toute façon, inutile avant ce jour d'avril 1987, avant que mon coeur arrête de battre pendant quatre minutes et quarante secondes, avant que je ne sois projeté comme une fusée. Je sais que le mot *mission* peut sonner prétentieux ou religieux. Aucun autre mot ne pourrait décrire ou préciser ce dont il est question : mandat, charge, tâche, rôle, vocation, fonction... Non, aucun.

Je demande donc au lecteur, ici, d'être patient et même indulgent. Hors du temps, certains mots perdent leur sens; seul un vaste sentiment peut dessiner cette nouvelle réalité.

C'est aussi l'Amour qui m'incite à demander aux lecteurs d'abandonner tout préjugé et de lire une histoire vraie, avec tous les compromis que le langage courant exige. Je sais qu'en deçà et au-delà des mots et même entre les lignes, quelque chose en lui se reconnaîtra, quelque part, dans cette histoire.

La réalité est plus vaste que le mental, plus intense que la plus rigoureuse et la plus savante des constructions intellectuelles, issues du plus brillant des cerveaux humains. Je sais, maintenant, qu'elle était imprégnée de sérénité. Quelque chose, en chacun de nous, la reconnaît sans preuve, sans autres équations que celles du Coeur. La vérité se suffit à elle-même.

Ce voyage éblouissant, vous le vivrez sans qu'un poteau d'électricité ne transforme en rebut une imposante *américaine,* sans que votre corps et votre cerveau ne soient paralysés, sans que votre coeur physique ne cesse de battre. La lecture de cette histoire vous épargnera le branchement sur un respirateur artificiel, les multiples diagnostics qui viennent confirmer que vous resterez handicapé jusqu'à la fin de vos jours et que votre cerveau est réduit à l'état végétatif.

Aujourd'hui est une nouvelle journée;
il nous appartient d'en faire une réussite.
(Yves-Alain Duranleau)

Un boulet de canon (la réincorporation)

Alors que je quittais cette chambre haute et que je prenais le chemin du retour, j'ai soudainement réalisé que j'avais une escorte. Un des maîtres de Lumière m'a accompagné dans le tunnel, question de bien s'assurer de ma réincorporation. C'est au moment de vraiment me quitter qu'il me réconforta.

Au moment où j'ai laissé cette route lumineuse, je me trouvais au-dessus des lieux de l'accident. Mais où était passé mon corps?

Notre corps est attaché à notre âme par un lien lumineux : le cordon d'argent. Ce lien existe afin de nous permettre de retrouver et de réintégrer notre enveloppe de chair. Alors, j'ai tout simplement suivi ce rayon attaché à mon corps inconscient, qui se trouvait à l'intérieur d'une ambulance, à mi-chemin vers le centre hospitalier le plus proche.

Ma réincorporation fut rapide comme l'éclair. J'ai eu le temps (un temps différent de notre calcul chronologique) de voir mon oncle Julien monter alors que je redescendais. Je lui parlais. Il restait muet. Il allait son chemin et moi le mien. Je fonçais au-dessus du lieu de l'accident comme un kamikaze. J'observais de minuscules auto-patrouilles, ainsi que des gens pétrifiés à la pensée que les gros transformateurs d'Hydro-Québec pourraient exploser et s'enflammer. Je voyais deux êtres, sans le moindre effort, tenir l'ensemble des transformateurs électriques. On aurait dit des anges. J'aurais voulu rassurer tout le monde, mais on m'ignorait. Certains, peut-être, auront perçu la communication et seront demeurés plus calmes que les autres...

Le corps de mon oncle et celui de la secrétaire avaient d'abord été retirés de la prison de métal puisque, selon les ambulanciers secouristes, ils avaient davantage de chances de survie que moi. L'ambulance roulait en direction du Centre hospitalier de Granby quand j'ai réintégré mon corps. Ce retour fut beaucoup plus douloureux que l'accident lui-même. J'étais le boulet de canon qui percute un mur d'acier. Mon âme avait réintégré, douloureusement, la matière dense de mon corps. L'infirmière secouriste m'a dit que j'avais fait le pont (il s'agit d'une posture-réflexe où le corps se cambre démesurément vers l'arrière, jusqu'à ce que, dans certains cas, la tête aille toucher aux pieds). C'est le signe, ai-je appris par la suite, d'un traumatisme neurologique irréversible entraînant la mort dans les 48 heures. À l'urgence du Centre hospitalier universitaire de Sherbrooke (CHUS), le corps de mon oncle et le mien reposaient sur des civières voisines. On m'a raconté que son visage était une torture à voir, complètement défiguré, une oreille ayant été complètement arrachée. Oncle Julien avait une telle constitution physique que son coeur a continué de battre pendant 24 heures, alors que son cerveau était déjà cliniquement mort.

Des montées de fièvre variant entre 41° et 42° forcèrent les urgentistes à réfrigérer mon corps sur un matelas spécial. Je produisais les mêmes symptômes qu'un noyé : la salive avalée se logeait dans les poumons.

L'âme est la seule
Source de Vérité.
(Uriel).

Vivre dans le coma

Je n'ai ressenti aucune souffrance, sauf quand j'ai réintégré mon corps physique dans l'ambulance. Un réflexe
inconscient me permettait de fuir la douleur. Je quittais
l'enveloppe charnelle qui souffrait. Pendant 74 jours, je
fus plongé dans un état comateux, avec perte de sensi-
bilité, de motricité et de conscience provoquée par
diverses affections nerveuses. On a dû me faire une tra-
chéotomie afin que je respire adéquatement. Était-ce
cela les limbes dont on parlait dans le petit catéchisme?
Je l'ignore! Au fond, ces 74 jours sont un gouffre dans
ma vie : un état purement végétatif. Le moniteur des
signes vitaux frémissait à peine, la vie s'était frayé un
autre passage dans le monde invisible où les perceptions sont à fleur d'énergie.

Un souffle, en nous, sait ce qui se passe autour. On n'en
prendra conscience que plus tard... à la sortie des
limbes. On pense qu'un comateux est inconscient. Non.
Il est dans un état différent de conscience. Sa perception
est finement aiguisée.

Ma mère, par exemple, qui est une femme de foi, a con-
clu un pacte avec Dieu. Elle croyait sincèrement en ma
survie. Toutefois, elle voulait d'un enfant jouissant de
toutes ses facultés. Ma qualité de vie présente témoigne

de cette communication subliminale qui s'établit même à distance entre les êtres. C'est avec une émotion particulière que j'ai lu le journal intime de ma mère durant ma période comateuse. Tout, dans ses écrits, transpirait la vie. Il y était question de patience, d'amour. Elle me parlait des visiteurs qui entraient et sortaient de ma chambre, des prières que les gens faisaient pour moi. Elle demeurait toujours confiante et positive de revoir son fils en pleine santé et non comme un légume! Elle s'adressait à moi comme elle m'avait connu et vu grandir : en toute vitalité. Je suis incapable, encore aujourd'hui, d'exprimer toute la richesse de cette communication, alors que je végétais aux soins intensifs, mais je puis témoigner de son efficacité. La foi de ma mère l'incitait à filtrer les visites à l'hôpital, afin que personne ne puisse me transmettre d'ondes négatives ou dépressives. L'amour inconditionnel de ma mère savait intimement que toutes les émanations et les pensées des gens m'influençaient dans ce corps en apparence inerte. Le corps est comme un énorme buvard qui absorbe le souffle et les émotions des autres.

Je lui suis reconnaissant d'avoir soustrait de ma chambre ceux qui pleuraient. Ces témoignages de détresse profonde et d'émotions dissonantes auraient sûrement nui à ma guérison.

Les forces invisibles travaillent constamment pour l'homme
qui tire toujours les ficelles lui-même sans le savoir.
À cause de la puissance vibratoire des paroles,
quoi que nous disions,
nous commençons à nous l'attirer.
(Françoise Scovel Shinn)

Communiquer avec les comateux

La communication s'établit avec les comateux même s'ils demeurent inertes. Ils perçoivent la qualité de votre présence; c'est pourquoi tout ce qui émane de vous est d'une extrême importance. Vous pouvez leur dire qu'ils ont toujours leur place parmi vous, que vous les *aimez* profondément. Souvenez-vous que, dans ce type de communication psychique, c'est surtout l'intensité et la force de votre amour qui seront perçues. L'amour est coloré de patience, de pause respectueuse, de qualité de présence, de tendresse, de douleur, d'accueil et d'acceptation inconditionnelle. Même si ma mère me trouvait agité, qu'une nouvelle complication survenait, son journal démontrait mon état, traduisant toujours strictement les faits sans me transmettre, cependant, la moindre panique.

Quand j'ai visité l'espace de lumière éternelle, la communication était faite d'échanges vibratoires. Plus que de la communication, ces échanges formaient une véritable communion. Rien ne nous sépare d'un comateux. Les soi-disant légumes captent tout à un niveau subtil de vibration. Vous êtes l'autre et il est vous! Imaginez tout le réconfort que votre présence peut apporter!

L'enveloppe physique est une pâle apparence de la réalité de l'être. Alors que j'étais entièrement branché sur des appareils sophistiqués, qu'un tuyau me permettait de respirer, un autre vidait l'eau de mes poumons et un autre me nourrissait, j'ai évité la souffrance en sortant de mon corps; lui, ou l'Intelligence qui passe par lui, était à l'oeuvre. Des millions de cellules travaillaient au miracle de la résurrection ou du grand passage.

Nous sommes inconscients de l'énorme potentiel que recèle cette merveille qu'est le corps humain. C'est lorsque j'ai débuté ma nouvelle vie, que je me suis rendu compte de l'extraordinaire puissance qui est en moi et en chaque être humain. Il se produit en nous tant de choses à des vitesses inimaginables!

Des savants prétendent que pour créer des installations aussi perfectionnées que notre enveloppe physique, celles-ci envahiraient une superficie de 6 kilomètres carrés et produirait un vrombissement perceptible à plus de 150 kilomètres.

Le Créateur nous a dotés de ce magnifique véhicule et il nous revient d'apprendre à en faire un usage adéquat. Notre âme est entourée d'une multitude de cellules qui, chacune, renferme la vie. Pour visualiser le tout, il suffit d'imaginer une méga cité avec une population de 70 millions d'habitants. En chaque entité se trouve une quantité innombrable d'opérations qui s'exécutent harmonieusement, à tout instant de la journée. Pour illustrer ce que vous venez de lire, remarquez que vous étiez inconscient de chacune de vos respirations ou de vos pulsions cardiaques au cours des dernières minutes.

Voilà qui donne à réfléchir. Si nous en sommes bien conscients, nous respecterons la grande activité à l'oeuvre en respectant sa propre intelligence. De la même façon qu'on ne peut pousser sur une rivière pour en accélérer le débit, on ne peut forcer le corps. On peut seulement lui fournir l'environnement favorable. C'est notre impuissance à aider ceux que l'on aime qui fait souffrir, leur communiquant notre souffrance, notre peur, notre anxiété profonde provoquée par le refus de ce qui est. Imaginez ce que peut apporter quelqu'un qui hurle son angoisse et sa douleur auprès d'un corps inerte qui gît aux soins intensifs. Au plan vibratoire, c'est un gigantesque brasier que vous allumez pour celle ou celui que vous aimez.

Votre visite auprès d'un malade, d'un blessé grave ou d'un mourant sera une grande occasion de travail sur vous-même, puisqu'il s'agit ici d'une invitation à rejoindre vos profondeurs, là où tout est calme et serein. Le quotidien nous travestit intérieurement et de même, extérieurement, en toupie qui tourne sur son axe sans direction aucune. Nous sommes alors plongés dans un état artificiel. Nous communiquons un climat d'anxiété, de surexcitation, de nature à déstabiliser l'autre parce que nous sommes déstabilisés nous-mêmes. Retenez l'image de la mer qui, en surface s'agite. Si vous plongez, vous trouverez le calme, la paix des profondeurs.

Auprès d'un malade, d'un agonisant, rejoignez cet état de calme qui cimentera toute la qualité de communication non verbale entre vous et l'autre. Il favorisera son rétablissement ou son passage dans l'autre dimension. Si vous saviez à quel point c'est grandiose! Je sais, maintenant, qu'on peut retenir indûment une personne prête pour le grand passage. C'est pourquoi des phrases silencieuses comme les suivantes seront des plus appropriées :

   – Je t'accompagne affectueusement et je respecte ton état actuel d'évolution.

– Quoi qu'il arrive en apparence, je sais que tout est pour le mieux.

– Je suis là simplement pour t'envelopper du meilleur de l'amour que m'inspire la grande force de Vie qui passe en moi .

– La force de la vie qui est en toi connaît ta destinée; nous sommes ici pour t'aider. Souviens-toi que l'on t'aime!

Demandez que l'on efface vos doutes et vous serez exaucés. Demandez d'avoir l'attitude juste et vous l'obtiendrez. Ayez-en la certitude!

Pourquoi ai-je survécu à cet accident et pas l'oncle Julien, qui était un bon mari et le père dévoué de trois adolescents? Pourquoi la secrétaire de la compagnie s'est-elle tirée indemne de l'accident, alors que mon corps physique et mon cerveau ont dû tout réapprendre? Nos explications seraient limitées pour traduire le grand Ordre à chaque instant et en toutes circonstances.

Mon voyage hors corps et, surtout, mon séjour dans une autre dimension, m'ont révélé que nous accédons à l'essentiel dans des circonstances exceptionnelles. J'ai appris que nous étions tous les cellules vivantes d'un même Corps Vivant. Le temps, tel que nous le concevons, est inconsistant! Nous avons toujours été et nous vivons éternellement. Nous sommes de tout temps et pour l'éternité. Ceci étant dit, imaginez-vous la lutte d'un corps rappelé à la Vie :

– Je veux que ça se passe comme je l'entends.

– Je veux que tu vives selon mes perceptions de la Vie.

– Je cesserai de hurler ma souffrance lorsque tu seras revenu dans l'état que moi, personnellement, jugerais satisfaisant.

Imaginez une cellule qui tient ce genre de langage violent et autoritaire à une autre cellule malade. Elle interromprait ainsi le processus de l'intelligence propre de chacune des cellules du corps humain.

Ces lignes sont au service de ceux qui ont ou qui auront à accompagner un être dans des circonstances extrêmement pénibles. Retenez simplement que ces victimes auront besoin de votre force d'être et non de vos lamentations. Si vous manquez de confiance, demande-la et elle vous sera donnée spontanément. Souvenez-vous toujours que votre qualité de présence aide profondément à l'évolution de l'autre. Invitez la personne que vous aimez à prendre tout le temps nécessaire pour se rétablir, puisqu'elle évolue à une vitesse différente de votre patience. Votre amour aura la qualité de votre patience. Si la personne est prête à passer dans une autre dimension, laissez-la partir. Il est à éviter de retenir un être pour des raisons personnelles qui n'ont, du reste, rien à voir avec l'évolution de cette âme. Je souhaite que la qualité de présence auprès d'un blessé grave ou d'un agonisant traduise la confiance profonde en la grande Vie qui passe par nous. Elle sait mieux que quiconque ce qui est bien pour chacun. Même si nous pensons que les mots, l'écoute ou l'intensité d'un regard sont le summum de la communication, la qualité de la présence est pour une personne plongée dans le coma, la plus intense des communions.

La communication est quelque chose de beaucoup plus vaste que ce que nos centres de perception peuvent traduire habituellement. On émet et on reçoit plus que les mots, les gestes ou le regard. La communication est un échange vibratoire. Rappelez-vous seulement une rencontre récente avec un parent ou un ami alors que vous traîniez un souci ou un ennui. Même si vous êtes demeuré muet, l'autre a ressenti votre état global. La communication évolue de l'épais à l'infiniment subtil, constamment.

Pourquoi se sent-on si bien avec certaines personnes? Les propos échangés sont, bien sûr, intéressants mais l'atmosphère dégagée par l'interlocuteur l'est davantage. Certaines personnes nous insufflent une sérénité, juste par leur présence.

J'insiste aussi sur ce point par reconnaissance pour mes parents qui ont été d'une présence si chaleureuse pour moi pendant ces longs mois! Mon père et mon frère Jean-François communiquaient avec moi en faisant des massages sur mon corps inerte. C'est une forme de communication inestimable, surtout quand on réalise que c'est dans le coma que s'est célébré mon 22ième anniversaire de naissance.

J'insiste sur la richesse insoupçonnée de la communication non verbale également par reconnaissance pour le personnel médical du Centre hospitalier universitaire de Sherbrooke qui avait l'expérience consciente de cette communication.

La vie nous donne toujours
ce que l'on demande.
(Anne-Marie Chalifoux)

La résurrection

J'étais plus placide dans l'état comateux qu'à mon réveil. Impotent, incapable, le corps fragile, entièrement paralysé du côté droit, j'avais désappris le langage, même si j'étais capable d'émettre des sons. À 21 ans, j'étais un homme fini, complètement à la merci des autres. Une momie vivante! Autant dire un poids pour les autres.

Ce constat de mon impuissance totale m'a plongé dans une dépression sévère. J'avoue avoir souhaité la mort. J'espère aujourd'hui que mes proches ignoraient à quel point j'étais désespéré. L'incapacité verbale, combinée à un état d'introversion, les a sans doute épargnés. Il était préférable que je demeure muet. Voilà pour la résurrection qui était, de toute évidence, différente et aussi glorieuse que celle du Christ!

La Vie va toujours de l'avant.
(Penda)

La mort n'existe pas

Vers huit heures, je fus tiré de cet état lamentable de dépression par mon grand-père paternel, un mois après mon éveil. J'étais réveillé parce que, dans les hôpitaux, le va-et-vient commence tôt par la lecture des signes vitaux, celle des dossiers de la nuit et autres consignes. Le personnel infirmier suivait les directives du médecin et introduisait les solutés qui me nourrissaient jour et nuit. Même la pneumonie s'en était mêlée.

Peut-être serait-il plus exact de dire que j'errais dans un état de rêve éveillé. C'est cet état que l'on connaît, parfois, avant d'entrer dans un profond sommeil; ou, encore, l'état de conscience pure que l'on connaît le matin, au réveil, avant que tous nos programmes mentaux s'activent pour nous rappeler nos soucis et différentes responsabilités. J'étais dans un état où le mental limité, silencieux, est endormi. Mon grand-père était serein, calme. Il s'est approché de mon lit pour me dire :

— *N'écoute aucun diagnostic qui te condamne! Ne te décourage jamais! Tu te rétabliras complètement pour accomplir ton mandat! Prends le temps qu'il faut et fais confiance. Tout ira bien!*

Mon grand-père paternel était décédé en 1986. C'est bien lui, cependant, qui est venu me visiter... mais il était plus jeune qu'au moment de son décès. C'est, en effet, un homme dans la force de l'âge qui est entré dans ma chambre d'hôpital. Peut-être lui aurait-on donné 50 ou 55 ans. Sans marcher, il se déplaçait : il flottait dans la pièce. Peut-être devrais-je dire qu'il glissait doucement vers la sortie.

Il était venu me répéter des paroles d'encouragement que j'avais entendues quelques mois auparavant d'un des maîtres de Lumière.

Il retournait à travers le mur de ma chambre quand un infirmier a frappé à la porte. À ce moment, je lui répondais :

– J'ai confiance!

Il a d'ailleurs croisé l'infirmier qui m'a dit :

– À qui parles-tu, il n'y a personne ici!

Je suis demeuré muet, mais c'est à partir de ce jour que commença ma reconstruction physique, qui a duré quatre années et qui s'affine encore aujourd'hui.

Les respirations de la mer
sont des minutes d'éternité.
(Margherita Guidacci)

La reconstruction du corps

Il a fallu quatre années pour la reconstruction de mon corps. Quatre années, où le processus thérapeutique m'a conduit en physiothérapie, en ergothérapie, en orthophonie. Des psychologues et travailleurs sociaux ont aussi voulu m'aider, croyant que le traumatisme psychologique était sévère. Il faut dire, ici, que je parlais comme un robot, lentement, d'une voix monocorde et ennuyeuse. J'avais de sérieux problèmes d'élocution. Même si je savais clairement dans ma tête ce que je voulais dire, le bon mot était défiguré par mon élocution et trahissait ma pensée. Par exemple : j'avais soif et désirais de l'eau. Au lieu de dire : *J'ai soif!*, je disais : *J'ai sommeil.*

Après 18 semaines au Centre hospitalier universitaire de Sherbrooke, j'ai passé sept mois à l'Institut de réadaptation de Montréal, à faire 90 minutes de physiothérapie et 90 minutes d'ergothérapie par jour. Je réapprenais aussi à lire, à écrire et à compter. On avait précisé à mes parents qu'il me faudrait réapprendre à partir des classes primaires.

Un enfant apprend à marcher en tombant. Vous comprendrez que tomber de six pieds et deux pouces (187 cm), soit plus affligeant que pour un bébé qui rampe!

Dès que mes jambes ont su me soutenir, je poussais la chaise roulante jusqu'à ma chambre plutôt que de m'asseoir dedans. Une force nouvelle, insoupçonnée, m'envahissait. Quand je sortais pendant les fins de semaine, je voyais un chiropraticien de la région de Granby, le Dr. Alain Denicourt afin qu'il replace ma colonne vertébrale. Il a été généreux dans ses manipulations. Il devait tourner mon corps entier, parce que j'éprouvais d'énormes difficultés à me déplacer seul. C'est lui qui m'a permis de connaître l'acupuncture au laser, notamment à un point précis de la boîte crânienne, stimulant les fonctions de la mémoire.

Je pense que toutes ces années ont été nécessaires pour bien ancrer mon âme dans mon corps. C'est au cours de ce processus lent, que m'est revenu la réalité de la communication avec ce que j'ai appelé les douze apôtres. Mon corps se reformait. Des facultés paranormales ont surgi : j'étais capable de voyance et quand je touchais quelqu'un, sa douleur disparaissait. Je faisais des sorties hors corps pratiquement à volonté. Il me suffisait d'être calme pour aller me balader un peu partout dans la région sans que ma réintégration corporelle ne me fasse subir l'effet du boulet de canon. En plus des améliorations significatives que mon corps enregistrait, la médiumnité se développait. Chacun, je le sais, porte en soi, potentiellement, cette forme plus subtile de communication qu'est la voyance, la clairaudience, la lecture de pensée et d'état, mais personnellement, j'avais déplacé ma conscience ailleurs.

À l'Institut de réadaptation de Montréal, on m'a dit que j'étais une présence bénéfique. Quelqu'un était-il découragé? Je me rendais lui parler, lui répétant les mots de mon grand-père : *Fais confiance!* Quelqu'un était-il désespéré? Je l'invitais à se questionner sur le beau, le bien et le vrai de sa vie. Chaque vie, même la plus sombre en apparence, génère des valeurs positives. Sans connaître intellectuellement les bienfaits de la psychothérapie cognitive qui, à l'instar de Socrate, affirme que c'est la pensée qui crée nos sentiments et nos émotions disfonctionnels, je pratiquais ce genre d'approche. J'amenais spontanément les gens à voir et à laisser vivre le beau que recouvraient leurs émotions négatives entièrement créées par le mental. Même la personne la plus impotente, la plus seule en apparence, est habitée par une richesse si elle consent à sortir de la pensée misérable qui l'emprisonne.

La vie m'avait donné quelques autres occasions de tester mon système de valeurs. J'avais seize ans quand, sans doute excédé par mon arrogance, un étudiant de la Polyvalente m'a infligé un coup qui m'a fait tomber sur le palier de l'escalier, causant une fracture à mon genou droit. Plâtre et béquilles, mais pratiquement aucune fissure dans mon système de valeurs. Quand on blâme les autres, il devient impossible de se tourner vers l'intérieur. J'en avais bien profité pour lire un peu, mais rien d'autre que des romans policiers.

Aujourd'hui, j'ai l'intime conviction que nous pouvons tous saisir les occasions de regarder à l'intérieur de soi. Voilà qui apporte, à chaque instant de nos vies, une dimension beaucoup plus grande que celle qu'on lui accorde généralement. Personnellement, il m'a fallu tout réapprendre pour comprendre. J'avoue qu'aujourd'hui, je suis heureux du dénouement, même si le prix que j'ai payé était très élevé. Je suis conscient, maintenant, qu'une personne a les ressources et la force nécessaires pour franchir victorieusement les obstacles. Et ce, même si le prix est exhorbitant.

C'est à l'Institut de réadaptation que j'ai pris conscience que je prêtais ma voix et mon vocabulaire. Je servais de canal à une énergie fine et purement intelligente. Les fonctions de la mémoire me permettent d'affirmer que cet Alain au coeur compatissant, capable de présence rassurante auprès des malades, est très différent de celui que j'ai été jusqu'à ma décorporation. Quatre minutes et quarante secondes d'arrêt cardiaque vous identifient à la mort physique. *J'ai été mort.* C'est d'ailleurs pourquoi j'utilise désormais *Yves-Alain* mon nom complet de baptême. Il semble que dès ma naissance, j'étais prédisposé à changer de nom. J'ai fait faire, tout de même, une analyse approfondie des lettres de mon nom. Elle a donné le résultat suivant;

- Alain Duranleau donne l'expression d'une personne matérialiste.

- Yves-Alain Duranleau se traduit par l'expression d'un être spirituel.

Le choix de modifier mon nom devenait clair, un peu comme si la vie était toute tracée dès ma venue sur Terre. Il existe une ligne, un tracé défini à parcourir. Ce sont nos guides, notre conscience et nos croyances qui orientent notre destinée vers l'accomplissement.

Si j'ai parlé de celui qui m'habitait jusqu'à ce jour de l'accident mortel du 10 avril 1987, c'est afin de démontrer que je suis devenu un être différent, métamorphosé. L'esprit qui m'anime est conscient qu'il fait partie d'un grand tout et que je suis une cellule du genre humain. Il est primordial de vivre en harmonie avec toutes les entités de notre planète. Tous les êtres se ressemblent.

Il faudrait, pour le bonheur des États,
que les philosophes fussent rois
ou que les rois fussent philosophes.
(Platon)

Le pauvre être

Selon les conventions sociales, j'étais un jeune homme
de fière allure, volontaire et aimant la vie. J'étais
ambitieux et travailleur. À l'âge de 20 ans, je roulais déjà
en Toyota Supra et j'avais beaucoup de considérations
pour mon ego. Quand j'entrais dans un bar, on me parlait avec déférence et je ne regardais que les plus belles
filles. Jamais, je n'avais porté mon attention sur un chant
d'oiseau, jamais je n'observais la nature. J'étais un jeune
homme orgueilleux qui exigeait toujours le meilleur
pour lui-même. Un jeune homme matérialiste et content
de l'être. J'étais bien élevé, né de bonne famille. Je con-
sommais très rarement de l'alcool et contrairement à
beaucoup de jeunes, j'avais horreur des drogues. Déjà, à
l'âge de 10 ans, je me rendais à l'usine familiale pour
balayer. Bien des parents se contenteraient d'avoir un
fils travailleur puisque, dans notre système de valeurs,
c'est le gage d'un avenir prometteur.

J'ambitionnais être quelqu'un qui ferait de l'argent et
serait heureux de se payer la lune. Je me pensais bien et
croyais être bien, différent d'un paumé (mais peut-être
certains itinérants de Montréal, New York ou Paris
avaient-ils le coeur mieux placé que le mien). J'ai vu des
clochards donner de l'argent aux autres itinérants quand

la quête avait été généreuse. Ils sont capables de partage. Le jeune homme que j'étais les aurait jugés, méprisés même, ces paresseux qui hantent les trottoirs du centre-ville et que l'État-Providence a contribué à engendrer. Il est difficile d'entretenir l'espoir et l'ambition quand les différents systèmes se sont refermés une fois les années d'abondance passées. Il est extrêmement difficile de gérer sa liberté dans une société qui confond liberté et licence. Les erreurs, ou plutôt les essais collectifs nous concernent tous, mais je soutiendrais que chacun reprenne son propre pouvoir et que l'autonomie personnelle soit réhabilitée comme une valeur intrinsèque d'une société démocratique forte, parce que constituée de la puissance de chacun.

J'entretenais avec les femmes des relations vides de sens. J'étais un *consommateur* qui croyait qu'aucune ne lui résisterait. Mon coeur s'était endurci à la première peine d'amour de mes 18 ans. Ma dulcinée d'alors avait revu, sans me le dire, son ancien soupirant. Elle avait même passé une soirée avec lui et me l'avait caché. Trompé et trahi, pour éviter la souffrance, je butinais de fleur en fleur. Je ressentais bien, occasionnellement, le vide d'une telle vie sentimentale. On aime dans la mesure d'un engagement, de la connaissance et de la reconnaissance de l'autre. J'étais incapable de cet engagement, couvant un petit moi complètement recroquevillé dans sa première blessure, sa première trahison. L'orgueil menait ma vie sentimentale et ma relation avec les autres.

Je m'appliquais aux études en dilettante. J'avais, plus jeune, souhaité mener des études universitaires en administration pour me rendre davantage utile dans l'entreprise familiale. J'ai vite changé d'idée parce que j'ai souhaité gagner le maximum d'argent avec le minimum d'efforts scolaires. Comme plusieurs jeunes gens de mon âge, j'aspirais à devenir rapidement un consommateur de biens matériels. Beaucoup de jeunes, d'ailleurs, abandonnent tôt l'école pour joindre rapidement le rang des consommateurs. J'étais désireux de l'avoir des autres et protégeais jalousement le mien qui grossirait au rythme de mon travail dans la société. Mon imposante stature d'alors me permettait d'envisager des études en techniques policières.

C'est le portrait de l'homme que j'étais à 21 ans. Je lui accorde peut-être trop d'importance, mais, c'est grâce aux diverses expériences du passé que je suis ainsi maintenant. À l'époque, j'aurais sans doute refusé de me définir. Je me trouvais vraiment bien... peut-être même, bien supérieur : j'étais arrogant et peu de personnes trouvaient grâce à mes yeux. Peut-être qu'inconsciemment, je souhaitais être policier pour juger les autres et les remettre dans ce que j'affirmais être, le droit chemin.

Mes parents sont bons et généreux. Ils étaient fiers de leur fils aîné, le bon garçon *clean cut*. Les parents compréhensifs et aimants comparent souvent leurs enfants aux autres et s'estiment chanceux de ne pas avoir engendré un décrocheur scolaire ou un drogué.

Pourtant, aujourd'hui, il me serait difficile d'être l'ami de celui que j'étais.

On refuse d'entendre parler de la mort, à moins d'avoir été heurté, questionné par la mort d'un parent, d'un ami. La mort amène des questions sur le sens de la vie. Ces questions fondamentales pourraient faire de nous de meilleurs êtres humains. Elles élargissent notre conscience, nous permettant de mieux pénétrer dans la grande conscience.

Mon mental se balance entre le passé et l'avenir, entre le désir du plaisir et la peur de la souffrance. Avant d'en prendre conscience, j'étais entièrement manipulé par des petits fantasmes qui ont pris ma vie en otage.

Le premier travail sur soi commence par l'observation de sa pensée. Ce peut être si intolérable qu'on préférera regarder une émission de télévision, téléphoner à un ami ou mettre son casque d'écoute. Quotidiennement, nous entretenons une illusion de vie, plutôt que de laisser la grande vie nous pénétrer, nous approfondir généreusement afin d'être dignes du mot humain qui devrait être le sommet de l'évolution.

Les plus grandes âmes
sont capables des plus grands vices
aussi bien que des plus grandes vertus.
(René Descartes)

Ancrer l'âme dans le corps

La réadaptation physique a demandé du temps, un changement de rythme par rapport à ma vie passée. Le temps qu'il faut pour que mon âme s'accroche bien dans le corps. Quand on a choisi de s'incarner pour l'évolution de l'âme, ce n'est pas la fuite dans des pseudo paradis dont il est question pour l'âme, mais bien de points d'ancrage solides dans la matière... sur Terre, parmi les hommes.

J'ai souvent abandonné sur le lit de l'Institut de réadaptation, mon corps physique qui avait déjà connu la mort. Alors que s'installait en moi la paix, j'aimais voguer au-dessus de ma terre natale, en état d'apesanteur et de liberté. Mon corps m'apparaissait souvent encore comme un lourd scaphandre. Un lourd paquet pour l'esprit si léger, si souple. J'avais noté que mes sens physiques, sans être absents, s'étaient affinés, raffinés, malgré la paralysie contre laquelle je luttais quotidiennement. J'entendais, je voyais sans les sens habituels de l'ouïe ou de la vue. Il me suffisait de penser à quelqu'un pour savoir dans quel état d'esprit il était, pour savoir même ce qui allait se matérialiser dans sa vie parfois, avant même qu'il ait pris conscience du projet dont il me parlerait avec enthousiasme quelque temps plus tard.

La guérison allait bon train. Je recyclais, en quelque sorte, mes énergies physiques, mentales, psychiques et même spirituelles. Les miennes et celles des autres. J'avais seulement à calmer le physique et le mental, à descendre dans les couches profondes de l'esprit où tout est pur, sans forme. Il me suffisait de respirer profondément, puis à me laisser inspirer pour que cet état rayonne autour de moi. Peu à peu, j'apprivoisais cet état se situant en dehors de l'espace-temps que j'avais connu jusqu'alors. L'espace et le temps, tels que définis par les scientifiques, sont indissociables l'un de l'autre. Il existe cependant un autre temps, éternel, qui est de l'ordre de l'espace infini, donc indéfinissable par les mots. C'est un état dont le corps physique est le soutien temporaire.

Très vite, j'ai su que je devais être prudent et qu'il m'était interdit de m'accaparer ces pouvoirs, qu'ils venaient d'un autre plan de conscience. Ils sont de l'ordre de la Conscience universelle. Si le petit moi tentait de jouer avec eux, de s'en saisir, l'état de béatitude s'effaçait. Ce n'est, toutefois, que beaucoup plus tard que j'ai appris combien plusieurs s'amusaient à tort avec ces pouvoirs. Toute une littérature avait envahi le marché! Un nouveau marché de séduction. Le dentifrice, le désodorisant, la pommade de jouvence et même les clubs Med étaient remplacés par les cristaux qui guérissent, par des week-ends de croissance qui permettent de développer des pouvoirs extrasensoriels. Oui, ces pouvoirs existent! Cependant, il serait souhaitable d'aborder avec un sens critique ceux qui en font le commerce. Sont-ils manipulés par des sources énergétiques d'ordre inférieur, ou manipulent-ils les autres avec les forces qu'ils possèdent eux-mêmes? Ces nouveaux maîtres, ces nouveaux vendeurs, créent une multitude de petits temples. Sont-ils à l'écoute de leur profondeur? Les sources énergétiques supérieures interdisent toute consommation démesurée. Elles sont disponibles à tout moment. Il vous faut découvrir la juste fréquence, comme on ajuste un appareil radio. Elles ne sont accessibles que par un groupe restreint d'individus respectueux des lois universelles et sont proscrites aux êtres qui pourraient en abuser. Il existe certainement des critères d'évaluation pour ceux qui véhiculent des énergies d'un autre ordre.

Peut-être qu'un bon nombre de thérapeutes de la médecine énergétique viennent seulement compenser la chaleur humaine et les qualités de générosité, de bonté et d'écoute dont on a besoin.

Nous avons un corps de lumière
et nous pouvons transcender
le concept espace-temps.
(Penda)

Tirer profit d'un drame

L'accident de 1987 aurait pu tourner au tragique. J'ai su immédiatement tirer de cet épisode sinistre tous les aspects positifs. Je me suis dit :

- J'ai eu un accident!

- De quelle façon puis-je me réadapter pour être fonctionnel le plus rapidement possible?

- Quelle leçon puis-je tirer de cet événement afin d'en sortir vainqueur et de croître?

Tout est dans la façon de se poser des questions. Le dicton le dit : *Demandez et vous recevrez!* Je serai plutôt tenté de dire : *Posez la bonne question et attendez-vous à une bonne réponse!*

Dans les conférences que je prononce, souvent les gens me demandent si je vois des événements les concernant. Il serait simple pour moi de leur dire ce que je vois, mais mon but est tout autre. Je préfère leur indiquer la route vers l'intérieur, où se trouve toute réponse. Je suis un instrument polyvalent. J'ai la capacité de leur donner la réponse, mais je préfère transmettre une façon de recevoir les réponses aux questions.

Dans le calme du soir, lumière fermée, trouvez votre point d'équilibre intérieur et, à ce moment, posez votre question, courte et précise de manière positive, sans jamais nuire à autrui. La question doit être posée et reformée tant et aussi longtemps qu'une réponse adéquate n'a pas surgi en vous. Si aucune réponse n'arrive, revoyez la formulation de votre question. Il se peut, aussi, qu'aucune réponse n'éclaire votre esprit. Il faut de la pratique afin de bien contrôler l'exercice. Cela deviendra un jeu d'enfant.

Vous pourrez, après un certain temps, ajouter une autre question dans votre boîte à réponses. Les deux questions doivent être compatibles. Il est impossible d'obtenir une réponse claire si, au départ, la question manque de limpidité.

*Un mariage heureux est une longue conversation
qui semble toujours trop brève.
(André Maurois)*

L'union de deux êtres qui s'aiment

J'ai l'intime certitude que l'union de deux êtres est un véritable partenariat. Se lier d'affection avec une personne a pour objet de s'épauler mutuellement, afin de s'aimer et de s'absoudre de nos fardeaux karmiques. Il devient possible, par la même occasion, de se fabriquer une meilleure identité pour notre âme, de poursuivre notre raffinement vers une plus grande énergie spirituelle.

La fusion de deux personnes, une fois les feux de la passion dissipés, peut être, lentement et sûrement, un véritable outil d'élévation spirituelle, une invitation au dépassement de l'être, puisque aucun chemin n'est préalablement tracé et qu'aucune recette ne peut permettre d'avancer vers une plus grande lumière. L'alliance véritable force quotidiennement le travail sur soi. S'oublier au profit de l'autre et du couple : rappelez-vous que plus vous travaillerez à plaire à l'autre, plus cet autre fera de même à votre égard.

Souvent, les unions modernes poursuivent uniquement la recherche du meilleur sans le pire qu'elles tentent d'éviter : on se sépare, on divorce et on recommence le même scénario deux, trois, quatre fois au cours de la même incarnation. L'absence d'engagement est une fuite de la transformation. C'est pourtant la raison d'être de notre passage sur la Terre. Bien que d'aller dans les profondeurs de l'âme puisse effrayer certains d'entre vous, je vous invite à plonger.

La civilisation de consommation a déteint jusque dans nos rapports humains, dont on fait des relations jetables après usage, remplacés à la moindre contrainte. Or, nos relations avec les autres et avec tout ce qui est vivant doivent être harmonieuses et imprégnées d'un grand respect. La cohabitation avec un être cher est un art sacré qui nous oblige à rester vivants continuellement.

Ces lignes semblent bien moralisatrices. Je suis âgé de 28 ans aujourd'hui et qui suis-je pour aborder des thèmes qui recèlent un si grand mystère? Je suis un canal qui écrit des messages me parvenant d'une dimension plus vaste que celle que chaque être humain connaît normalement.

L'union entre deux êtres, c'est plus que vivre à deux. Deux êtres qui s'aiment forment un couple et ce couple devient une troisième entité. Une tout autre réalité s'installe entre ces personnes. Quand un couple se forme, une synergie émane de cette union, afin de mieux traverser les épreuves de la vie. Il faut pour cela devenir complice de l'autre, tout en lui laissant la pleine liberté d'évoluer. Tout est fonction de l'équilibre et du dosage de ses sentiments. Lui laisser l'espace vital tout en sécurisant son chemin. Plus vous devenez complice de l'autre, plus il est possible de réaliser de grands projets.

Je désire partager, le plus fidèlement possible, une partie de ce qui m'a été transmis. J'ai choisi de laisser les lignes qui précèdent, de les partager avec tous ceux qui vivent une union sincère ou qui aspirent à ce mode de vie. Je sais que j'emprunterai cette voie dans la présente incarnation. Je le dois à mon âme qui ne demande qu'à grandir.

L'Amour divin inonde ma conscience de santé
et chacune des cellules de mon corps, de lumière.

(Françoise Scovel Shinn)

Un retour spontané et graduel à la Vie

La Vérité que j'ai reçue lors de ma décorporation s'est installée en moi très progressivement, mais définitivement. J'étais souvent déphasé, voulant réaliser immédiatement l'information reçue dans le monde invisible. Il m'est arrivé, par exemple, de vouloir courtiser certaines de mes thérapeutes, puisque je savais que je devais m'unir à un être aimé. Vous pouvez aisément imaginer le grotesque de la scène : quelqu'un qui a vécu une mort clinique quelques mois plus tôt, traversé un lourd coma, une dépression sévère et qui, dès qu'il reprend conscience, demande la main de la première femme venue le visiter au moment même de sa semi inconscience.

Il a fallu beaucoup de temps encore pour que les informations reçues soient ajustées à l'instant présent. Depuis la visite de mon grand-père, j'étais confiant de réussir ma réadaptation. Cependant, nous évoluons dans la matière dense à un rythme qui nécessite patience, persévérance, volonté ferme, autant de vertus qui appartiennent au vocabulaire de la génération de mes aînés. Tout arrive altéré dans le monde des formes même si quelque chose en nous sait la Vérité.

Vous pouvez créer la destinée
que vous désirez.
(Penda)

Études et motivation

En janvier 1988, les pronostics médicaux étaient encore sombres. Parallèlement aux traitements d'ergothérapie que je recevais à l'Institut de réadaptation de Montréal, j'ai décidé de m'inscrire à des cours en administration par correspondance dispensés par le CEGEP de Rosemont. Une volonté plus grande que la mienne me forçait à travailler sans relâche.

Pour me soutenir moralement, en fins de semaines, j'assistais à des séminaires de motivation. Dès que j'ai pu lire à un rythme convenable, ma mère m'apportait des ouvrages de motivation éclairés d'une expérience et d'une vision spirituelle. Au début, à cause de la paralysie de mon oeil droit, il m'était, à toute fin pratique, impossible de tenir longtemps devant ces lignes entremêlées, ces lettres décomposées, ces mots tricotés. Une page était d'abord un véritable casse-tête que je devais assembler avant de lire. Peu à peu, elles prirent la forme que l'auteur et l'éditeur leur avaient donnée. Il m'arrivait même parfois de comprendre le sens de mots que j'ignorais jusqu'alors…

J'ai réalisé progressivement que la dépression fut nécessaire à mon cheminement. La dépression est une mort à un système de valeurs inadéquat. Nous sommes en deuil de superflu pour poursuivre l'odyssée de notre vie. C'est pourtant dans cette déstabilisation intégrale que s'opère le changement, la capacité d'accueillir un inconnu qui élargit nos horizons, qui délimite notre zone de confort. Il devenait nécessaire que les écluses sautent afin de laisser couler la vie. Je devais faire confiance, puisque la dépression est une niveleuse qui permet à notre ancien système de valeurs de s'aplatir pour laisser éventuellement rentrer le soleil et l'oxygène... comme un arbre qui pleurerait ses feuilles mortes...

Nous avons hérité d'une propension à nous définir par ce que l'on possède. J'étais la somme de mes réalisations intellectuelles et sociales et je me définissais dans le temps linéaire. Quand notre univers est basé sur les apparences (une femme, un mari ou une carrière) et que l'un ou l'autre s'effondre, la dépression s'installe, rappelant que nous sommes réduits à rien, puisque nous avons tout perdu. C'est pourtant ce *rien-là* que nous craignons tant. J'aurais dû y voir une occasion de communiquer avec le grand Tout.

Les livres de motivation ont été un soutien moral pour persévérer dans les différents exercices physiques et intellectuels auxquels je me soumettais quotidiennement pour reconstruire l'homme de jadis. L'équilibre tant recherché, l'équilibre en mouvement cette fois, s'est installé progressivement. Ma mère m'incitait à rendre visite à des amis dès que ma condition physique et intellectuelle s'est améliorée. J'étais réticent à visiter mes anciens camarades de classe. Ils me recevaient gentiment, mais avaient tellement pitié de moi! Cette pitié m'atteignait comme une balle de golf projetée directement au plexus solaire. Ils ignoraient que j'évoluais dans un état plus sensible, que j'étais devenu une véritable éponge de l'état d'esprit des autres, des climats d'une pièce...

Dès mon retour de l'hôpital en chaise roulante, je recommençai à me rendre à l'église que j'avais délaissée comme tous les jeunes adultes en pleine crise d'identité, prétextant qu'il soit ridicule de croire en ces rites désuets. Je dois avouer que je me rends à l'église pour bénéficier de la forte concentration d'énergie, de paix et d'amour qui inonde ces lieux. Sans doute, plusieurs personnes assistent-elles distraitement à l'office, mais bon nombre de fidèles élèvent le taux vibratoire des participants réunis. Je serais fort surpris qu'en ces lieux, beaucoup de personnes fomentent des crimes ou des actes répréhensibles. Les lieux pieux sont imprégnés d'une texture énergétique inexistante dans une salle de spectacle.

J'ai mentionné précédemment que j'étais devenu un buvard d'énergie ambiante. Entre mes traitements de physiothérapie et d'ergothérapie, je ressentais le besoin de m'alimenter à d'autres sources. J'aiguisais mes facultés intellectuelles endormies. En 1989, je m'inscrivais à la faculté d'administration de l'Université de Sherbrooke où j'étudiais pour décrocher un certificat. J'assistais à des séminaires en gestion de temps, relations de travail, créativité, marketing, afin de compléter la formation académique que j'avais jadis refusée au profit des techniques policières. J'étudiais sans arrêt. Ce bagage intellectuel faisait partie des outils de ma nouvelle vie, favorisant éventuellement ma réintégration professionnelle et sociale. Il faut dire que les maîtres de lumière ont mentionné que je serais appelé à travailler auprès de milliers de personnes dans des pays éloignés du mien.

L'esprit
est la plus haute vibration de l'homme.
(Monseigneur Frank-William Schaffner)

Ma famille face à mon extraordinaire métamorphose

Bientôt, je réintégrai la maison familiale, tout en poursuivant ma réadaptation physique en patient externe, dans les différents instituts spécialisés. Il a fallu des efforts exceptionnels d'adaptation face à toute ma famille. Je refusais de me voir diminué, mais j'étais différent. J'étais devenu une nouvelle personne, même si ma forme physique reprenait peu à peu l'image que chacun avait connue. Ces perceptions extrasensorielles, mentionnées plus tôt, devaient être agaçantes pour mes parents. Un jour j'insistais pour que mon père fasse installer des verrous à toutes les portes de la maison familiale, adjacente à l'entreprise. Mon appartement était situé au-dessus de la demeure familiale et me voilà exigeant une mesure de sécurité supplémentaire. Sans doute se taisaient-ils patiemment au nom du terrible choc que j'avais subi. Et pourtant...

Prémonitions et 34 points de suture

Mon père céda à mon caprice et acheta des serrures à pênes solides que j'ai installées moi-même. Peu de temps après ce pénible travail, j'ai reçu une visite dont je me serais volontiers passé. Durant mon sommeil, un évadé du centre correctionnel de Waterloo a tenté de prendre la fuite au volant d'un véhicule de l'usine familiale. Cherchant des clefs et de l'argent nécessaire pour faire le plein d'essence, il est entré inopinément dans mon appartement. C'est le bruit de l'ouverture d'un tiroir qui interrompit mon sommeil. Il faisait noir et j'ai cru que mon frère Jean-François entrait dans mes appartements, comme il le faisait si souvent. Bien que mal réveillé, j'entendis : *Pas un mot, sinon j'te tue.*

Sans réfléchir, je me mis à hurler. Mon frère et mon père sont arrivés en trombe et ont immobilisé le criminel. Il avait cependant eu le temps de m'assener quelques bons coups de barre de fer sur la tête. Mon frère s'est comporté en héros de film d'action! Le mal était cependant fait. Transporté d'urgence à l'hôpital, j'avais déjà besoin de 34 points de suture à la tête.

Voilà pour les prémonitions! C'est une espèce de don extrasensoriel que les personnes ayant vécu une mort clinique connaissent. Ces facultés sont trop souvent prises pour des caprices ou des peurs engendrées à la suite d'un traumatisme. Mon père et mon frère ont réussi à maîtriser le prisonnier, à le retourner au pénitencier où il purge toujours ses peines pour d'autres crimes commis. Merci à mon frère car, sans son intervention rapide, j'aurais connu la mort de près, une deuxième fois.

Je raconte cet accident pour démontrer à quel point les personnes ayant vécu une mort clinique sont métamorphosées. Elles sont si différentes, qu'elles transforment, par leur simple présence, toute l'ambiance familiale. Souvent, les autres membres de la famille les reconnaissent avec peine, même si l'aspect physique est similaire. C'est très souvent la personnalité qui a changé (la plupart du temps pour le mieux).

La transformation métaphysique d'une personne influe étonnamment sur son entourage. J'affirme, sans prétention, que l'accident dont je fus le principal acteur, est directement relié au choix professionnel de mon frère cadet. Il a terminé un bac en psychologie à l'Université Laval (Québec) et a réorienté sa carrière vers la physiothérapie. La vie spirituelle de mes parents, catholiques pratiquants, a pris un essor et une profondeur inespérés. Ils ont même changé leur régime alimentaire constatant les bienfaits du régime végétarien.

En ce qui me concerne, il est simple de comprendre, encore mieux, à ce stade de mon histoire, à quel point j'ai une soif d'apprendre toujours davantage, pour bien habiter la Terre et le monde qui m'entoure. Mon existence est faite d'intuitions et je dois y ajouter des éléments de prémonitions et d'informations spirituelles faites d'amour, d'harmonie et de paix. Je dois faire descendre ces informations dans la matière, de façon à transformer la matière lourde et dense. Les notions permettant de découvrir les raisons de nos agissements sont parfois camouflées dans les recoins de notre âme. Notre destin se charge d'indiquer la route à prendre quand le moment de l'action est venu.

Notre vie suit un plan de route qui peut paraître un amoncellement de coïncidences, mais l'existence de l'être suit une synchronie des faits dans l'espace-temps. Il est plus qu'une structure linéaire. La raison est utile, mais elle a ses limites. L'intellect est un merveilleux outil d'apprentissage technique, mais il empêche d'avoir directement accès à la Vie. La foi est la lumière intérieure de chacun. Elle se déploie au moment opportun.

Quand j'ai vu la mort, j'ai connu une autre dimension, aussi réelle que celle où nous vivons. J'ai su que Dieu se place hors des religions mais que l'homme, lui, en a besoin jusqu'au jour où il est touché par son être intérieur. Ce jour-là, il respecte la foi de chacun, qu'importe son origine. Le musulman, l'hindou, le bouddhiste, le chrétien parlent de la même croyance. Ils tentent selon leur culture propre de traduire la même réalité. Il faut que je prenne conscience de cette réalité.

Parfois, je constate qu'au moment de la mort de mon corps, j'avais dormi 21 ans tout en croyant que je vivais. Toute la journée, j'effectuais des tâches distraitement et sans conscience réelle. Pour vérifier l'exactitude de ce que je dis, essayez immédiatement de compter de un jusqu'à dix en prenant conscience de vos inspirations et de vos expirations. Constatez la somme d'idées, d'images qui ont le temps de vous éloigner de la simple conscience présente de votre respiration.

La foi s'impose à nous et permet une vie plus riche dotée de la conscience d'un sourire, d'un regard, du jeu des rayons du soleil sur l'eau, de la luminosité, du flocon de neige. Notre coeur déborde d'amour pour tout ce qui est vivant. Le corps et l'intellect sont des outils bien limités pour décrire et contenir cette réalité. C'est pourquoi je me lève chaque matin le coeur léger et confiant. Avant d'entreprendre mes ablutions, je me dis : *Bonjour Yves-Alain! Aujourd'hui, tout ira pour le mieux!* C'est un peu comme si mon âme - qui a besoin de plusieurs secousses pour se réveiller - saluait mon corps.

Des événements, des circonstances d'une exceptionnelle synchronicité

L'année 1993 a été fertile en événements et en circonstances de toutes sortes, favorisant sans cesse un nouvel état d'être. Un cours m'amenait à un autre, une personne à une autre et ainsi de suite. Il y avait toujours une réponse concrète à mes questions parfois abstraites. J'ai l'absolue conviction que notre plan de vie est tracé bien avant et bien au-delà de l'éducation reçue ou de l'environnement familial et social.

C'est un conférencier, Monsieur Guy J. Desmarais qui devait me mettre sur la piste d'une formation à suivre, à connaître et à maîtriser pour parfaire mon développement. Le hasard est illusion, les événements répondent à une harmonie de faits dans un temps régi par une autre dimension.

Monsieur Desmarais m'avait recommandé de lire *Pouvoir illimité* de l'auteur américain Anthony Robbins. Au printemps 1992, j'écrivais à Anthony Robbins pour lui dire qu'en pratiquant une des méthodes enseignées dans son livre, j'avais réussi, en moins d'une semaine, à marcher un kilomètre en quinze minutes. Il me fallait, auparavant, près d'une heure pour parcourir la même distance. Je lui demandais aussi un entretien personnel. Je reçus un téléphone du Robbins Research International de San Diego, m'invitant à faire partie du personnel de soutien au séminaire qu'il tiendrait au mois de mai 1992 à Ottawa, Canada. J'étais au rendez-vous qui devait me permettre, quelques mois plus tard, d'effectuer ma première marche sur le feu.

La marche sur le feu

Oui! J'ai marché sur le feu en juin 1992 lors d'un séminaire animé par Anthony Robbins. Cette marche était gigantesque, puisque quelque temps auparavant, j'avais eu de la difficulté à obtenir mon permis de conduire au volant d'une automobile non adaptée pour les personnes handicapées. Si j'ai pu marcher sur le feu, après une lente et longue réadaptation physique, tout est possible pour celui qui me lit en ce moment. D'ailleurs, la marche sur le feu est un outil utilisé par Anthony Robbins uniquement pour briser les barrières du mental qui font obstacle à l'infini potentiel de chacun, limité par les peurs entretenues.

Quand je parle de marche, sachez que mon corps et mes jambes plus particulièrement, sont moins souples que les vôtres. Une personne sans handicap, lève un objet, écrit, se retourne sans jamais s'interroger sur la difficulté de ces gestes quotidiens. Moi, je sais que l'effort et la torsion des muscles pour me faire le cadeau d'un sourire ont été précédés d'une extraordinaire concentration où toute l'attention était dirigée vers le geste à poser. J'ai connu la douleur et j'ai persisté jusqu'à ce que les larmes de joie perlent ma joue souriante. J'ai, depuis, le sourire accroché! C'est pourquoi la marche sur le feu eut un tel impact sur mon cerveau et sur tout mon corps. Un membre du personnel du RRI m'a demandé de partager mes impressions devant les 2 300 participants présents. J'étais trop enthousiaste pour refuser.

J'ai raconté brièvement l'histoire où un dossier médical, épais comme le bottin téléphonique d'une grande ville, me condamnait à la chaise roulante et je fus applaudi à tout rompre. Imaginez 2 300 paires de mains qui applaudissent en même temps! C'est semblable à une déclaration d'amour. J'ai seulement dit :

– C'est chacun de vous que vous applaudissez. Vous vous applaudissez vous-mêmes, puisque celui qui vous parle et qui a marché sur le feu vient de réaliser quelque chose d'extraordinaire, grâce à vous tous. J'ai en effet, monté les marches du podium pour vous parler, alors qu'il y a seulement quelques jours, mon pied n'avait pas la souplesse nécessaire pour monter une chaîne de trottoir. Grâce à vous, à toute l'énergie dégagée, j'ai, en plus d'avoir marché sur le feu, monté des marches d'escalier. Ma joie déborde. La victoire que je viens de remporter est inestimable. Marcher sur le feu, oui extraordinaire! Avoir gravi un escalier, fantastique! Si vous entendiez marteler mon coeur! Si vous saviez comme je suis reconnaissant!

Suite à cette expérience, j'ai formulé le souhait de faire partie du personnel de soutien qui accompagne Anthony Robbins à Hawaii pour un séminaire d'une durée de neuf jours. À ma grande joie, après quelques semaines, j'ai reçu une lettre m'invitant à me joindre à l'équipe du Mastery.

Quelques rares membres du personnel de soutien d'Anthony Robbins connaissaient l'histoire qui devait me mener jusqu'à lui. En août 1992 je me suis rendu à Hawaii, pour un séminaire d'une durée de 9 jours. Cette série de conférences et d'ateliers se veut un épanouissement personnel sur plusieurs plans.

Être spirituel,
veut dire être soi-même.
(Penda)

Dieu est manifesté,
cristallisé dans la matière.
(Penda)

De la matière à la vie spirituelle

J'ai récupéré à 90% toutes mes fonctions humaines. Je suis, pour ainsi dire, autonome. Afin de m'ancrer de plus en plus dans la vie, je rédige un journal très particulier contenant les lignes directrices de ma vie. Je révise à tous les trois mois pour que mes buts soient le plus conformes à la réalité.

Dans ce journal, j'écris les objectifs et les moyens que je prends pour les réaliser. Je divise ce journal de bord en quatre pour qu'il reflète le mieux ma réalité. Ces divisions sont :

1. développement personnel

2. avancement matériel

3. buts financiers

4. défis pour la vie

Coucher mes objectifs sur papier tend à les matérialiser et à les conscientiser. Écrire noir sur blanc officialise les objectifs et m'aide à trouver les moyens pour les atteindre.

En rédigeant ce journal de bord, qui est aussi un plan d'action de ma vie, j'ai réalisé peu à peu que je me désintéressais de l'industrie familiale. Une voix intérieure m'insufflait une directive différente. Je savais dans mon for intérieur que j'étais appelé et destiné à une autre carrière. Quoi exactement? Je l'ignore avec précision, mais je sais que je dois m'orienter vers le service à autrui. Je prenais conscience que le jeu des affaires m'éloignerait de ce que je souhaite donner aux êtres qui m'entourent.

Je me suis souvenu que pour toutes demandes, il est essentiel d'offrir quelque chose en échange. Je me suis très rapidement aperçu que pour obtenir une réponse je devais être prêt à offrir une compensation.

S'aimer,
c'est se connaître.
(Penda)

La mesure de l'amour,
c'est d'aimer sans mesure.
(Saint Augustin)

Tout l'amour du monde

Plus ma réadaptation progressait, moins les affaires m'attiraient. Je voulais écrire un livre pour dire aux gens de ne pas attendre un événement tragique pour se donner la permission de vivre. Je voulais leur dire que le grand sens de la Vie était l'Amour.

En effet, dans l'autre dimension, il y a ce qu'on a toujours rêvé. J'imaginais une scène semblable à la *Dernière Cène* et c'est exactement ce que j'ai vu, ressenti. Si un autre avait anticipé la rencontre d'un vieil homme à barbe blanche qui comptabilise les actions, c'est ce qu'il aurait rencontré. On retrouve une constante, cependant. Ce sont des êtres d'Amour. Dans cette dimension, toute la vie se déroule devant un regard compatissant qui permet de constater les manquements et les tentatives avortées.

Petit à petit, j'ai su que mon destin était autre que les plans faits avant la décorporation. J'avais désormais l'ardent désir de me mettre au service de mes semblables les invitant à réaliser, dans leur quotidien, une vie toujours plus épanouie. Je ressentais de plus en plus le besoin de partager mon expérience afin qu'elle serve aux gens de tous âges.

On m'a invité, comme conférencier, tout d'abord dans ma région. Les journaux avaient fait grandement état de l'accident mortel survenu en 1987. En conférence, j'ai parlé de désespoir, de suicide, de guérison, du système des valeurs, de la vie après la vie, de la réincarnation, de l'expérience de la mort clinique, de la façon de se comporter face à la maladie, de la foi, du sens à apporter aux différents événements de la vie, etc. Je ressens toujours, lors de ces ateliers, que je fais *un* avec l'auditoire. Je deviens son acolyte. Je demande leur indulgence pour les mots qui ne sortent pas toujours au rythme des idées. Peu à peu j'ai compris que les gens aient besoin qu'on leur parle ainsi. Même si j'ai une formation en sciences humaines et en administration (pour l'instant), les gens font davantage confiance à quelqu'un qui a vécu une expérience dramatique, transformée en beauté, en bonté et en soif de vérité.

Des gens déprimés demandent à me voir, ainsi que des gens désemparés lors de la perte d'un emploi. Parfois, je leur rédige une pensée, une prière ou je leur fais voir leur attitude mentale qui influence tout ce qui les entoure consciemment ou inconsciemment.

Un climat morose

Le climat social, économique et politique est morose et les gens se couvrent de peurs plutôt que d'apprendre à vivre autrement. Il semble de plus en plus que ma présence aide certains à vivre plus sereinement. J'ai dit à mon père que je voulais écrire un livre qui témoignerait d'une vie bien plus grande que la mienne. Le lecteur comprendra ici combien il a fallu de souplesse à mon père pour entendre son fils tenir de tels propos, alors que je n'avais démontré, jusqu'à ce jour, aucun intérêt pour les choses d'ordre spirituel ou intellectuel. Mon père a accepté ce projet, sans doute comme on écoute le rêve d'un adolescent. Il prit un certain temps à accepter que mon avenir soit ailleurs que dans l'entreprise familiale. Pourtant, ma mère m'avait dit, peu de temps après mon retour de l'hôpital, qu'un jour, mon expérience devrait être écrite pour le bénéfice des autres.

C'est en suivant des cours de lecture rapide que je me suis ouvert de mon projet à Raymond-Louis Lacquerre, qui m'a mis en contact avec quelqu'un qui allait m'orienter.

J'ai commencé à coller certains souvenirs, puis le reste s'est fait comme on raconterait une histoire à un ami.

La nature de la mort est la vie.

(Sogyal Rimpoche)

Des phases surprenantes

Une expérience de mort imminente (EMI), pour la majorité des lecteurs, peut sembler une catastrophe. Je l'ai vue comme une pause pour me permettre un nouveau départ. Je vous explique, brièvement, le tracé des différentes étapes que j'ai franchies. Par des méditations, des régressions et un questionnement soutenu, j'ai été dans la possibilité de mieux définir ce que j'ai vécu, à quel degré se rapporte l'expérience exceptionnelle qui a plongé tout mon être vers un changement de personnalité.

Une EMI se divise en cinq stades que je vous décris :

En premier lieu, j'ai vécu une séparation corporelle : j'ai encore le souvenir de flotter à l'intérieur d'une atmosphère paisible, m'enveloppant dans un état de bien-être intense. J'ai eu la sensation étrange de voir mon enveloppe charnelle, mon corps inanimé à une distance de quelques mètres, le tout sans éprouver la moindre émotion. À ce moment, j'ai quitté les abords de mon corps et je me suis senti aspiré vers le haut.

Arrivé à la hauteur des nuages, je suis entré dans ce qui me semblait être de la neige chaude… J'ai trouvé un tunnel splendide composé de milliards de petites particules de lumière scintillante. J'ai ressenti une accélération vertigineuse, à travers la lumière. Je devenais cette lumière, je m'identifiais à elle, tout en sachant qu'elle était différente de moi et m'était extérieure. Je me suis laissé prendre par cette magie comme on se laisse prendre par le réalisme du tourbillon des images sur écran IMAX.

Je devenais le héros d'un film dont le scénario s'écrivait à la vitesse de mes émotions. Je flottais dans un bain de lumière où, du doigt, je pouvais toucher à l'amour. J'ai touché à l'amour! J'ai palpé la texture de l'amour! Cette sensation a glissé en moi à travers chacune des molécules de mon corps. Je suis, à ce moment, devenu amour et toute connaissance à la fois. Ce souvenir restera gravé en moi pour toujours! J'avais atteint un état où j'étais confondu avec la lumière , l'amour, la connaissance, le monde, la planète, l'univers ou le cosmos. Dans toute galaxie, il n'y avait que moi : rien et tout à la fois.

C'est à ce moment que sont apparus des maîtres de lumière qui s'étonnèrent de ma présence parmi eux. C'est ma déduction, puisqu'ils m'ont demandé ce que je faisais en ce lieu. Ma réponse surgit spontanément en moi : *Je viens de subir un accident de la route et j'arrive devant vous!*

Ce fut ma première et dernière intervention. J'avais le bec cloué. J'ai compris, sans qu'on me fasse un dessin, que mon heure n'était pas arrivée, comme on dit en bas. J'ai reçu un enseignement prodigieux ainsi que des notions qui doivent me servir dans le futur. J'ai enregistré ces notions dans un coin reculé de ma mémoire, d'où il sera possible de les retirer au moment jugé opportun. La sagesse des entités de lumière en a voulu ainsi pour me protéger d'une surdose d'enseignements et de révélations.

Ces êtres m'ont annoncé le mandat spécial qui m'attendait à mon retour sur Terre. Par délicatesse, ils m'ont laissé le choix de rester ou de partir, mais je sentais que je devais revenir auprès des humains. Au fond, j'étais conscient qu'ils savaient mieux que moi et m'en remettais à leur décision quant à ma destinée. Alors, ils m'ont mis à la porte du Paradis et j'ai repris le chemin à rebours. Comme s'ils voulaient s'assurer que je retrouve mon chemin, j'ai eu droit à une escorte d'honneur. J'ai été escorté par un Maître dans la majeure partie du tunnel.

Je suis issu d'une famille très croyante, catholique et pratiquante. Certaines notions qui m'ont été transmises bousculent mes propres croyances. Les notions que les êtres de lumière m'ont livrées bouleversent les dogmes institués dans notre culture.

NOUS SOMMES DES ETRES DE TOUT TEMPS ET POUR TOUT LE TEMPS.

NOUS NOUS RÉINCARNONS TANT ET AUSSI LONGTEMPS QUE LA RÉALISATION PARFAITE N'EST ATTEINTE.

Comme la perfection se trouve véritablement en un autre monde, rares sont, sur Terre, les êtres réalisés.

LA VIE TERRESTRE DOIT ETRE CONSIDÉRÉE COMME UNE ÉTAPE DE PERFECTIONNEMENT ET CHAQUE ETRE HUMAIN DOIT TOUJOURS DONNER LE MEILLEUR DE LUI-MEME.

UNE PLUS GRANDE QUALITÉ DE PRÉSENCE PERMET D'ASPIRER À LA PERFECTION.

LE GENRE HUMAIN DOIT, DE PLUS, TENDRE VERS UNE EXISTENCE D'HARMONIE ET D'AMOUR POUR SE CRÉER DES KARMAS POSITIFS.

Je reconnais avoir créé des karmas négatifs au cours de mes dernières incarnations. Afin de les dépasser, je dois en prendre conscience dans le respect de tous les êtres, à tous les niveaux.

Ces messages simples contiennent une mince partie de la lumière que j'ai rapportée de cet espace d'amour illimité.

La connaissance universelle
se dissimule
à l'intérieur du subconscient de chaque être.
(Yves-Alain Duranleau)

L'ultime illusion

Freud, le célèbre psychanalyste, a interprété les visions rapportées par les morts cliniques (beaucoup moins nombreuses à son époque qu'à la nôtre) comme étant l'ultime illusion que s'invente le cerveau pour rendre tolérable son extinction. J'ignore le fonctionnement exact et complexe du cerveau. Même les neurologues et les biologistes les plus réputés ne connaissent que quelques milliers de ces milliards de cellules. Alors que puis-je répondre à l'affirmation ou à l'hypothèse de Freud sinon que je suis ressuscité et qu'un état permanent d'amour m'habite. C'est une situation contagieuse qui se répand à la vitesse d'un rayon de soleil.

Quand j'ai demandé à une amie si elle pensait que je pouvais traduire un vécu qui apporterait un certain mieux-être à l'humanité, elle me répondit :

– Oui, je crois que oui! Vous pouvez apporter quelque chose de neuf aux lecteurs parce que vous êtes un être aimant.

La question qui s'imposait était plutôt la suivante :

– Est-ce qu'un livre peut traduire la qualité de ma présence?

– Patrice Van Eersel, auteur de *La Source noire*, a fait un excellent travail de journaliste. Il est consciencieux, a effectué une bonne recherche, une bonne enquête. Il écrit bien, mais n'a pas vécu votre expérience. Peut-être que l'expérience qui est la vôtre peut engager le lecteur qui est prêt à une réflexion plus profonde.

Ma première rencontre avec un écrivain fut encourageante. J'ai rassemblé plein d'idées sur ma vie. C'était d'abord comme un grand casse-tête où, dans mon souci d'exactitude et de vérité, je décrivais tout dans les menus détails. Quand on a souffert d'amnésie, la mémoire ravivée désire noter et souligner le moindre souvenir, de peur qu'il s'en aille de nouveau. On veut tout conserver. On en met souvent plus que le client en demande.

Peu à peu, une sorte de magie s'est installée entre le futur lecteur et moi. Un état d'amour puissant transperce les pages, elles défilent, pratiquement toutes écrites déjà en mon être. Le but de mon livre est de permettre la vie avant que frappe la mort. J'entends parfois la petite voix de cette amie me dire, à distance, qu'il est inutile de rédiger un livre pour cette raison, car tout le monde le sait déjà. En l'écrivant, j'ai parfois la secrète intuition qu'en communiquant avec un parfait inconnu, un être comprendrait finalement que mon destin soit semblable au sien.

Pourquoi me suis-je soudainement retrouvé totalement différent de celui que j'avais été? Pourquoi suis-je habité d'une soif d'amour qui se traduit par un état d'amour invitant au partage, à l'état d'être, plutôt qu'à l'avoir? Nous savons tous que si nous interrompons la consommation, notre économie s'arrête. Est-ce pour cela qu'on nous incite à tant prendre plutôt qu'à donner?

J'écris ce livre pour tous ceux qui savent déjà que la vie est bien plus que notre corps physique, nos petits projets d'acquisition intellectuelle, culturelle, matérielle; bien plus que tous les diplômes ou les honneurs. J'écris pour tous ceux qui savent déjà que, sur un lit d'hôpital, quelques minutes avant de revoir le bilan de sa vie, à la lumière de l'amour, l'être humain saura tout ce qui a vraiment compté pour lui. J'écris, en quelque sorte, pour que l'on se souvienne de ce qu'on a oublié. J'écris pour que l'on observe notre réalisation avec fierté. Nous agissons pour que la prochaine génération détruise tout sur son passage, à moins que l'Amour ne transforme nos descendants.

Nous sommes seulement de passage, sur Terre, dans un corps, afin de vivre une incarnation. Souvent, nous sommes emportés par des désirs de surconsommation pour palier à notre manque de communication, lequel traduit un mal d'amour. Nous savons tous qu'un sens plus profond cherche asile en nous. Prenons le temps, vous et moi, de parler de sujets qui nous concernent tous, individuellement ou collectivement. Si nous sommes prêts pour une dimension plus riche de vie, alors ce livre aura été écrit et lu dans un même but, celui d'ouvrir à une vie plus harmonieuse, empreinte de bonheur et de joie. Il est un simple rappel des choses essentielles qui nous questionnent tous, tôt ou tard.

Si un voyage spontané au pays de la mort m'a permis de réaliser que la mort est bien vivante, il aura valu la peine que je délaisse les affaires et que je prenne le temps d'écrire.

Le destin a simplement permis que je voyage dans cette dimension d'amour avant vous. J'ai eu le choix de revenir pour témoigner de certains faits, de certains états. Ainsi pourrez-vous, comme moi, ajuster votre fréquence sur un état vibratoire qui peut changer radicalement votre vie et celle de toute la Terre. Une bougie allumée, c'est un peu plus de lumière, mais des milliers de bougies allumées, c'est suffisamment de clarté pour assurer le parcours à travers les obstacles de l'ignorance. C'est la seule manière de changer le monde , c'est-à-dire en commençant par soi-même.

La maladie est la bonté de Dieu
pour découvrir notre âme.
Les aliments sont la bonté de
Dieu pour se la réapproprier.
(Georges Oshawa)

La nourriture et l'âme

Je me suis réveillé, à la suite de ma période comateuse, avec un respect immense de la vie. Alors que mon cerveau reprenait son rythme normal, une multitude de questions surgissaient en moi. Je me demandais, par exemple, de quelle façon je pouvais m'alimenter pour recouvrer une bonne santé le plus rapidement possible. C'était clair : si j'étais revenu sur Terre dans un corps atrophié, j'avais des leçons à tirer et à partager.

Une des choses qui devenaient évidentes, est que les êtres humains sont sur Terre pour vivre en harmonie et avec le respect de tout ce qui les entoure. Il devenait impossible pour moi de consommer des animaux morts pour vivre. Je trouvais illogique de devoir consommer de la chair morte pour goûter la vie. Pris dans ce dilemme par la force des choses, je suis devenu végétarien. Bien que j'ignorais la façon d'équilibrer adéquatement ma diète, j'ai fait le grand saut. Après plusieurs mois, mon corps démontrait des carences alimentaires importantes. J'ai fait une erreur grave dans mon nouveau régime, par manque de connaissances. Alors, j'ai suivi les conseils d'un médecin et j'ai réintroduit un peu de viande à mon régime.

Je demeurais cependant convaincu du non-sens de me nourrir de mort pour vivre. J'étais persuadé du bien-fondé de ma thèse, si je désirais vivre conformément aux lois de la nature. J'ai pris conscience qu'il est pratiquement normal de voir une personne en recherche diminuer, sinon, éliminer sa consommation de produit animal. On pourrait dire qu'une recherche sur soi et l'ouverture de conscience dirige automatiquement la personne vers un changement de régime alimentaire. Généralement, si une personne est consciente de son évolution, survient aussi un changement dans son mode alimentaire. Plus une personne porte une attention particulière à tout ce qu'elle vit, plus elle est consciente de faire partie d'un tout. C'est pourquoi devenir végétarien devenait pour moi une autre modification naturelle. J'ignorais, cependant, comment devenir végétarien en m'assurant d'un régime bien équilibré.

J'ai été de plus en plus à l'écoute de mes guides en cette période de recherche. Ils m'ont toujours indiqué la manière appropriée au moment opportun. Les bons livres tombaient entre mes mains et les personnes susceptibles de m'aider se plaçaient sur ma route. J'étais constamment à l'affût de nouvelles connaissances. Je savais pertinemment que si je voulais sortir vainqueur de cette épreuve, je devais prendre toutes les avenues qui s'offraient à moi.

Dans notre culture nord-américaine, les valeurs nutritives des produits laitiers, du boeuf, du porc et autres sont profondément enracinées en nous. Une des questions auxquelles j'ai eu à répondre le plus au cours des derniers temps est : *Mais où prends-tu tes protéines animales?*

Preuve que nous sommes bien conditionnés par la publicité. Notre corps est une des plus belles réussites du créateur et nous bafouons ce véhicule constamment. La nature nous fournit tous les éléments nécessaires à une existence en santé.

Je me suis mis à interroger mon âme et mes guides pour qu'ils m'indiquent la bonne direction à prendre. Sans équivoque, la réponse que j'ai reçue m'indiquait que la façon de se nourrir convenablement se trouvait dans le végétarisme. Pour vivre en santé, il faut ingérer de la nourriture vivante.

En se nourrissant de cadavres d'animaux, la chair consommée s'imprègne du stress de l'animal décédé. La pression est tellement grande chez cet être que les cellules de son corps libèrent toutes leurs toxines. Il contracte son organisme et par le fait même, le sel et l'acide urique se répandent dans l'organisme.

Les Indiens savent instinctivement ce qui se produit dans le corps astral de leur proie : à haute voix, ils parlent au cadavre et entrent en communication avec son âme pour lui expliquer les raisons profondes qui les poussent à agir ainsi. En négociant la permission d'utiliser la chair, afin d'assurer la subsistance de sa famille, le chasseur protège la survie de ses descendants. L'âme de l'animal libère son cadavre de ses corps subtils. De nos jours, pratiquement personne ne fait attention à ce genre de détail. C'est pourtant d'une importance primordiale pour notre santé. Je discutais de mes conclusions avec mon amie Louise et elle me raconta qu'une de ses connaissances élève des poulets; une semaine avant de les abattre, elle leur parle et leur explique toutes les raisons pour lesquelles elle les fera passer de vie à trépas.

La vie est plus que ce que l'on voit; apprenez à la respecter.

Lorsque j'étais bébé, on devait enduire la purée de viande d'une purée de fruits avant de me la présenter pour que je l'avale et la mange. Quand j'ai recommencé à me nourrir après la période comateuse, les infirmières de l'hôpital trouvaient qu'il était impossible de me faire ingurgiter des portions de viande en purée pour bébé. Une fois, à l'heure des repas, ma mère s'est souvenu du brillant subterfuge qu'elle utilisait jadis.

Aujourd'hui, imaginez que j'ai réussi à démontrer à mes parents les bienfaits du végétarisme et à les y convertir!

Il n'y a qu'un responsable
de votre bonheur et de votre malheur.
Vous pourrez le pointer du doigt
si vous passez devant le miroir.
(Isidore Dugas)

Espérer toujours le maximum

L'amour de la vie, sous toutes ses formes, apporte l'espoir, car si on aime vivre, on possède une assurance contre le découragement. Cette protection se nomme, tout simplement, l'espérance. Il devient essentiel de conserver espoir en la vie pour que cette dernière dégage ses fruits. Pour constater ce que j'affirme, arrêtez-vous un instant pour y réfléchir. Notre réalité est teinte de tout ce que nous contactons; c'est notre habilité à confronter qui détermine notre degré de bonheur. Il est possible de toujours conserver à l'esprit que les épreuves qu'on doit affronter sont toujours adaptées à notre capacité de les surmonter.

C'est vraiment l'espoir qui est une des clefs essentielles, afin de surmonter tous genres d'épreuves. Il donne la force de franchir les obstacles et d'en adoucir les impacts. Il laisse entrevoir la lumière qui est au bout du tunnel. La véritable force d'un être réside en sa capacité à parcourir sa trajectoire de vie préétablie, sans dévier. Notre réalité est toujours bordée de nos humeurs du moment. Nos interprétations des événements sont à la base de tout bonheur durable. La configuration que nous avons d'un résultat à atteindre détermine déjà le comportement que nous aurons face à ce dernier. La représentation mentale d'un objectif que nous nous fixons contient en elle la clef de départ pour sa réalisation. Toute grande réalisation dans ma vie, a eu le même point de départ, une pensée dans mon esprit. J'ai à me fixer un but valable, à définir les grandes lignes d'un plan, à poser des actions concrètes et à conserver en mon esprit l'espoir du résultat à atteindre.

Si, toutefois, je traverse une période sombre et que je me laisse envahir par de piètres pensées, je peux m'attendre à une oeuvre médiocre. Cependant, j'ai conditionné mon esprit de façon à toujours me lier à des pensées positives. Parmi les moyens que j'utilise, il y a la lecture de livres de motivation et, dès mon réveil, j'espère une superbe journée. Plusieurs me disent : Oui, mais toutes les alternatives doivent être envisagées. Je laisse peu de place aux pensées négatives dans ma vie. Aussitôt qu'une de ces idées jaillit en mon esprit, je la remplace par une pensée positive. En fait, les pensées négatives sont nos pires ennemies.

J'ai toujours gardé en mémoire une règle mathématique : deux négations donnent une affirmation positive. Consciemment, je prononce une idée positive et mon subconscient fait abstraction de toute forme de négation. Le subconscient est une pâte souple qui se laisse mouler par l'idée principale de ce que l'on affirme. De plus, mes guides sont parfaitement, eux aussi, désorientés face à de telles paroles. Pour ces esprits de lumière, les paroles sont des vibrations que j'émets. Ils me soutiennent en autant qu'ils reçoivent des demandes clairement formulées de ma part.

Afin d'illustrer ce que je viens de dire, prenons l'exemple suivant : qu'arrive-t-il lorsque vous dites à un enfant : *Je ne veux pas que...?* L'enfant fait exactement l'action interdite. Il serait plutôt profitable de lui faire part directement du comportement souhaité. Il en va pratiquement de même avec notre subconscient et des esprits de lumière.

Prenons un autre exemple simple. Si je dis : *Je ne veux pas avoir d'échec dans cet examen.* Il est préférable que je me dise : *Je vais réussir mon examen avec succès.*

Pour donner encore plus de puissance à mon affirmation, je peux dire : *J'ai étudié et travaillé sur la préparation de l'examen dans cette matière, je suis donc assuré d'un succès remarquable.*

Il est évident que l'affirmation doit être véridique et l'effort constamment fourni. J'ai appris que les forces subtiles qui m'habitent connaissent toute la vérité à mon sujet. Je me suis fortement programmé le succès. L'effort est récompensé.

Une façon simple de me programmer est de toujours véhiculer des pensées positives, dans le meilleur intérêt de tous en me posant les bonnes questions. Un des moyens que j'utilise est de poser la question avant de m'endormir et d'être prêt à recevoir la réponse à mon réveil. Je dispose, sur ma table de chevet, le nécessaire pour écrire. Assurément, je conserve la moindre petite parcelle d'information. Au moment où j'étais novice de cette technique, je me croyais capable de me souvenir des messages reçus durant la nuit mais, finalement, je m'apercevais qu'après une bonne douche, j'en avais certainement oublié la majeure partie. En les inscrivant sur un bout de papier, j'avais la possibilité de relire mes réflexions au coucher. Après quelques jours ou semaines, une réponse claire surgissait en moi. Si une réponse demeure vague, il est fort possible que la question soit nébuleuse. Je dois reformer l'interrogation afin qu'elle soit plus précise. Tout questionnement mérite une réponse. Il m'est impensable de voir surgir des interrogations sur un sujet que mon âme ignore. Elle connaît toujours la réponse; il suffit de lui offrir la possibilité de s'exprimer.

Une autre formule est très importante à conserver :

ESPOIR + ACTION PLANIFIÉE = RÉSULTAT ESCOMPTÉ.

J'ai saisi que la vie est un agencement harmonieux et que je suis une partie d'un ensemble plus vaste que ce qui est normalement perceptible. L'espoir conjugué avec une bonne planification donne un mélange explosif qui peut me projeter ainsi vers un plus grand succès. La pensée est très puissante. Il est primordial que je conserve mon esprit alerte et nourri de pensées positives. Il faut aussi que je me rappelle que le siège de ma pensée s'étire dans mon être tout entier. Il n'est pas localisé uniquement dans mon cerveau. Mon corps est effectivement une enveloppe dans laquelle mon âme est déposée. Je suis devenu conscient que chaque atome, molécule ou cellule pense et m'aide à produire le résultat escompté.

Je dois également m'exprimer en des termes positifs. Il est essentiel de garder toujours espoir en la vie, afin qu'elle m'apporte ses fruits délectables. C'est une valeur primordiale qui m'aide à traverser les épreuves de façon plus sereine. Le moyen que j'utilise pour combattre la dépression, est de formuler une question le plus clairement possible à mon être intérieur. Je me pose, au coucher, cette question à résoudre et je place le nécessaire pour écrire au réveil. Si aucune réponse n'éclaire mon esprit d'une solution, il est important de reposer la même question jour après jour. La réponse peut tarder à venir; il est possible que l'interrogation soit mal formulée, manque de limpidité, ou que, tout simplement, la réponse brille par son absence parce qu'il est inopportun pour moi d'avoir une quelconque réponse. Il est capital de conserver espoir en mes facultés et en la vie qui émane autour de moi.

Je dois être moi-même en harmonie avant de désirer aller régler les maux des autres. Lorsque je suis en harmonie avec les gens que je côtoie, je rayonne sur eux un état de bien-être. Si j'aspire à aider mes semblables, il faut commencer par moi et ensuite diffuser vers les autres. Il est possible pour toute personne de réaliser son destin, sa ligne de vie préétablie et de créer ses propres karmas positifs. Le karma est le plan de vie, la feuille de route, la destinée à accomplir.

Je vous donne les outils en mots
et je vous donne l'espoir,
l'espoir d'être vous
dans cette grande réalité.
(Penda)

Le suicide : une erreur coûteuse

Je broyais du noir. La lumière, qui avait inondé mon être dans le tunnel, était absente. J'avais oublié de voir toutes les chances que j'avais et que j'ai. J'étais hémiplégique et je refusais de concevoir les alternatives qui s'offraient à moi. Qui m'obligeait à demeurer invalide toute ma vie? Personne, à l'exception de moi et de mes choix. Après tout, j'avais déjà fait d'énormes progrès! Les médecins avaient dit que j'avais 80% de chances de demeurer à vie dans un état végétatif. Le désespoir s'installa quand même en moi. J'avais besoin d'un rappel, d'avoir des souvenirs de mon passage dans cette dimension d'amour. Si j'ai choisi de revenir à la vie, c'est pour accomplir quelque chose de valable, non pour être à la charge de la société et un poids pour ma famille.

Je dois partager la lumière d'amour qui unit les habitants de la Terre. J'étais mort, j'aurais pu demeurer dans l'autre dimension. Je dois assumer mon choix (mais ai-je eu vraiment le choix??).

Je désire faire comprendre que le suicide est un acte proscrit par la loi universelle de la vie. La vie est un don de l'Être suprême; elle est un privilège qui nous a été donné. Dans la vie, tous les choix nous sont accordés.

J'ai pu mieux comprendre ce qu'implique un suicide et de quelle manière il influence les incarnations futures. Parce que, voyez-vous l'euphémisme, je suis revenu à la vie mais j'avais absolument oublié tout ce passage dans la dimension de lumière; alors, je voulais mourir pour éviter toute souffrance. C'est durant cette période riche en questionnements, que j'ai réalisé la vraie valeur de vivre. Accepter chaque expérience de mon existence, c'est ma prospérité.

Il importe, pour ce faire, que je me donne des buts à atteindre, une raison d'être. Un être humain sans but est semblable à un bateau sans gouvernail. Ce but peut être des plus simples comme il peut être des plus complexes. Un des très bons moyens d'avoir le plein contrôle sur les destinées de ma vie, c'est de les écrire.

Une âme qui choisit l'alternative du suicide se perd et est, par la même occasion, vouée à la dérive. Elle devient en quelque sorte une âme errante. Elle ignore souvent avoir quitté l'incarnation en cours. Le choix de ma mort m'est proscrit, ce qui signifie que j'ai la possibilité de faire tous les choix à quelques exceptions près. La vie est un don de l'infinie Sagesse. Elle nous a tout donné. Je dois apprendre à aller recueillir les fruits qu'elle m'offre si généreusement. C'est moi qui dois tout à la vie.

QU'EST-CE QUE JE PEUX APPORTER DE NEUF À LA VIE?
QUEL SERVICE PUIS-JE RENDRE QUI AUGMENTERAIT SA
VALEUR AUX YEUX DE TOUS?

En augmentant sa valeur, il se produira un effet de miroir. Je répands de la joie et du bonheur autour de moi, j'ensoleille le jardin du voisin et le soleil brillera dans le mien. C'est comme une graine de semence portée en terre. Elle donnera un jour une récolte généreuse. Les messages que j'ai reçus étaient suffisamment clairs pour que j'écarte à tout jamais de ma vie l'idée même du suicide.

Apprendre à mieux guérir

Mes choix portent parfois leurs récompenses, mais aussi de lourdes conséquences. J'ai réalisé que j'étais le principal acteur de mon bien-être et de mes choix. Plusieurs techniques simples se sont offertes à moi afin de jouir d'une santé durable. J'ai d'ailleurs développé mes propres procédés. Je vais partager avec vous les moyens que j'utilise pour atteindre la santé et me maintenir en santé.

Pour bien guérir, je dois découvrir pourquoi j'ai telle ou telle maladie. Qu'est-ce que mon corps cherche à me dire? Si je suis malade, c'est pour des raisons bien précises! À moi de découvrir les fondements à ce dérèglement. Je suis l'incarnation de l'Être suprême sur Terre.

Il faut croire que j'avais la tête dure pour finalement comprendre ce que la vie attendait de moi. J'ai eu l'occasion d'apprendre par le passé, mais je n'avais rien appris. Je me croyais au-dessus de tout, invincible. J'avais pratiquement oublié que j'étais un être humain avec ses forces et ses faiblesses.

J'aurais eu la possibilité de comprendre bien avant si j'avais été le moindrement à l'écoute de mes guides. Il faut croire que j'avais à franchir ces épreuves pour mon achèvement. Je porte maintenant une attention particulière aux différents avis qu'ils m'envoient. Rapidement, j'ai compris que la maladie est un des moyens d'écouter son corps.

Ce que nous voyons
c'est ce que nous serons.
(Denis Waitley)

La visualisation

Visualiser la route menant à la santé peut sembler irréel, mais c'est la véritable réalité. Cette technique m'a été d'un grand secours. Avant même que je sois sorti du coma, il y avait une force surhumaine en moi qui me dirigeait vers un processus de guérison. J'avais l'ardent désir de recouvrer la santé. J'ignorais pourquoi mais il devenait primordial de me voir en santé. La technique que j'ai développée est très simple et s'inspire de plusieurs méthodes que j'ai adaptées. Il suffit de me fermer les yeux, d'entrer à l'intérieur de moi, pour voir mentalement la partie à soigner et à détendre.

En respirant, je me concentrais à diriger l'oxygène qui vivifie vers l'endroit que je désire soulager. Un bon moyen est d'inspirer calmement et de voir l'air entrer par mes narines pour se rendre jusque dans mes poumons. L'oxygène pur se transfère naturellement dans mon sang pour être dirigé à l'endroit que je choisis d'apaiser. Pour faciliter cet exercice, j'ai découvert qu'il était plus accessible pour moi de voir l'oxygène sous la configuration d'une lumière de couleur éclatante et de suivre son parcours dans mon corps. En suivant la route empruntée par ma respiration, j'ai compris que la visualisation était beaucoup plus praticable ainsi. Une fois échangé dans mon sang, le malaise rebroussait chemin et était expulsé de mon corps. Je recommençais ainsi durant quelques minutes, le temps de bien soulager la partie meurtrie.

La visualisation est un des meilleurs moyens pour accéder à son subconscient. Je me place dans un état pour que mon subconscient saisisse ce que je projette dans mon esprit, comme étant la réalité. Lorsque ces images sont claires sur mon écran mental, une force se met en branle et fera tout matérialiser cette visualisation dans ma vie.

Cette partie cachée de mon être est sourde, mais elle entend réellement ce qu'elle voit. Afin d'augmenter ce pouvoir, j'ai découvert qu'il importe en même temps de sentir, de ressentir dans mon être tout entier la vision de ce que je veux. Il faut que j'anticipe les sensations éprouvées lors de la manifestation physique de ma visualisation.

Le moment de la profonde détente est propice au contact avec ce pouvoir. Au début, je pratiquais tôt le matin, après une bonne nuit de sommeil. Durant cette période, je me trouvais dans un état de réception de message. Sans le savoir, j'entrais à ce moment dans une disposition de demi-éveil. Je me trouvais en état Alpha. Tout en l'ignorant, je progressais au point de pouvoir plonger en transe mon être tout entier.

Si vous désirez tirer profit de ma méthode, je vous propose de suivre les étapes suivantes :

- Avant de fermer vos yeux et de vous endormir programmez-vous en voyant ce que vous désirez.

- Imaginez les scènes suivantes et dites intérieurement :

  – Je m'endors vers un sommeil profond et relaxant.

- Dès mon réveil, je serai frais et dispos, dans un état idéal pour entrer en communication avec mon subconscient

- Je désire...

• Sur ces paroles, je ferme les yeux et je vibre à l'idée de réaliser le but que j'ai prédéterminé. Je deviens ainsi le producteur, réalisateur, metteur en scène et vedette dans un film à succès qui s'intitule : MA vie.

La visualisation* peut aussi me servir à des choses plus simples comme, par exemple, me réserver une place de stationnement. Je vois dans mon esprit l'endroit désiré où il serait possible de me garer. Je vois cette place se libérant à mon approche. Pour donner encore plus de force à cette méthode, je joins mes dix doigts en commençant par les auriculaires, puis les pouces, puis les annulaires, puis les index pour finir par les majeurs. Je forme ainsi une sorte de pyramide d'énergie. Je crée une circulation énergétique et je transpose ce courant d'énergie à l'endroit désiré.

En fait, j'entre en communication directe avec mon potentiel divin. Le temps est arrivé de reconnaître que le corps humain est un des nombreux temples de Dieu. À l'aide d'une visualisation qui correspond parfaitement à mon besoin, je deviens la source première de ma guérison. Le meilleur guérisseur que je peux consulter, *c'est moi.*

---

* Lisez *Visualisations* de Rachel Guay, Louise Courteau, éditrice inc. 1994.

La méditation permet à l'homme
de se réaliser.
(Uriel)

La prière est l'action de parler à Dieu.
La méditation est l'action d'écouter Dieu.
(Un grand Sage)

La prière et la méditation salutaires

La prière et la méditation ont pour objet de réharmoniser mon âme dans son enveloppe corporelle. Le corps est une partie de l'être qui doit se trouver en harmonie avec mon âme afin de fonctionner de façon optimale. Le but réel, pour moi, lorsque je médite, est de bien balancer l'énergie des cellules de mon corps en effectuant un simple vide dans mon esprit. Cela me procure un bien-être pratiquement inestimable. Par exemple, je prends comme habitude de rendre grâces pour la magnifique journée qui se lève devant moi et de remercier l'Être suprême de toute sa bonté.

Le temps que je dédie à la prière est bien investi; il rapporte toujours. La façon choisie pour rendre grâces importe peu; par contre, la reconnaissance est primordiale envers ce qui se manifeste dans mon existence.

Je suis une cohésion de milliards de particules qui doivent cohabiter harmonieusement. Ainsi, en me permettant de visualiser jour après jour chaque fragment de mon être, je peux calmer tout dérèglements internes. Par la même occasion, en diminuant les tensions intérieures, je me procure une existence plus agréable, plus sereine. Peu de temps après l'apprentissage de la méditation sur une base régulière, j'irradiai d'une énergie préparatoire à un climat de paix dans mon milieu. Je posai ainsi un geste bénéfique pour moi et pour l'unité mondiale. Je me fais du bien et participe à l'harmonisation universelle. C'est merveilleux!

La méditation aide à mettre le corps et l'esprit sur la même longueur d'onde : je repose, tout en demeurant alerte. La méditation harmonise mon être intérieur avec l'environnement extérieur où je dirige ma pensée. La méditation crée un sentiment d'unité avec la grande Vie. C'est ce que j'ai pu expérimenter depuis que j'utilise cette approche.

Pratiquement toutes les techniques de méditation se servent de la respiration comme tremplin pour calmer les vagues de l'océan de notre esprit. Je compte mes respirations de un à dix. En comptant dans ma tête, j'inspire sur les chiffres impairs et j'expire au moment où je prononce mentalement un chiffre pair. Aussitôt que surgit en moi une pensée différente, je recommence à zéro. La première fois que j'ai utilisé cette méthode, il me fut impossible d'arriver à plus de 4. Arrivé à 3, j'avais la fâcheuse tendance à me dire : Parfait, je vais pouvoir me rendre à 10.

Le truc est de faire le calme à l'intérieur de mon esprit. Les chiffres sont comme un mantra, un prétexte, pour réduire mon activité psychique, pour reposer mes pensées. Il s'avère souvent pertinent de soustraire mon esprit aux tensions engendrées par l'ardent désir de guérir. Je dois lâcher prise et me laisser pénétrer par la joie d'exister tel que je suis, sans inquiétude, sans défense, dans la plénitude des moyens que je me suis donnés pour accomplir mes buts.

Mon subconscient m'a plongé dans un coma profond pour me protéger. Mon âme savait que la douleur serait trop atroce à l'état d'éveil. La perfection de mon organisme voulait me camoufler cette période hautement pénible de ma vie.

Le hasard est un concept sans fondement
(Yves-Alain Duranleau)

La nécessité de modifier son système de valeurs

La vie m'a incité fortement à reconsidérer mon système de valeurs. J'ai appris que, dans mon existence, j'ai tout à gagner en ayant un respect inconditionnel pour l'ensemble de ce qui m'entoure. En accordant de l'importance au respect, j'ai pu constater la réciproque de mon entourage. En effet, si j'ai de la considération pour la vie, elle répond plus adéquatement à mes attentes et je vis avec plus d'aisance et de liberté. C'est simple : la vie me reflète toujours l'image que je lui transmets.

Il est primordial que je développe cette attitude pour mieux m'intégrer à la communauté qui m'entoure. Voilà la conclusion à laquelle je suis parvenu.

L'immigration est de plus en plus courante sur la planète. J'accorde la même importance à chaque personne, car elle est l'incarnation du divin. J'ai bien saisi que je dois avoir une estime indéfectible pour tout être, indépendamment de sa race, de son sexe, de son statut social et j'en passe. J'ai habité cette Terre dans des vies passées, en étant d'une autre race, alors difficile pour moi maintenant de lever le nez ou de prétendre être supérieur par un quelconque snobisme illusoire.

Mes valeurs se sont modifiées au fil de mes besoins. Il est important qu'elles soient toujours en constante évolution, car ma qualité de vie en dépend. Un service rendu est automatiquement remis. Cependant, ce retour se fait par loi naturelle. Cette règle cosmique appelle pour qu'un service me soit rendu par la même personne auprès de qui j'ai agi ou par tout autre individu. Il en va de même dans l'autre sens : parfois, un parfait inconnu me rend un service et jamais je n'aurai la possibilité de lui remettre. En faisant don de mon être à des personnes qui en expriment le besoin, j'entasse des économies dans la banque universelle.

Il est évident que dans une société moderne, les échanges monétaires sont imposés. Il importe de conceptualiser l'argent comme un mouvement d'énergie. La valeur d'un service est habituellement définie par une méthode monnayable afin qu'elle devienne imposable. C'est ce qui rend la valeur du citoyen, significative et tangible aux yeux de la collectivité. J'agis pour qu'il soit possible de qualifier tous les paliers de ce que je touche. Je remplis chaque engagement de façon à ce que le service ou le bien rendu soit supérieur au montant exigé en retour. Pour atteindre le succès, c'est ma responsabilité d'honorer et de respecter tout ce qui porte sur la vie. Je me suis vite rendu compte que la réussite est un système qui repose sur des bases naturelles de logique et de respect.

Je suis entièrement responsable de toutes les actions que je produis, qu'elles soient perceptibles ou imperceptibles. Il est aussi important que je saisisse cette notion, car chaque incarnation est une occasion d'apprentissage et de croissance. Je provoque ce qui m'entoure, le monde dans lequel je vis en particulier. Il devient donc simple, une fois que je comprends cela, de vivre dans un constant état d'amour inconditionnel. Pour ce faire, il suffit de porter attention aux autres et à leur bien-être. En agissant ainsi j'ai vite constaté l'exactitude de cette grande vérité.

Notre destin, ou Karma,
dépend de la façon dont l'âme interprète
la voix de la conscience.
(Edgar Cayce)

Les cycles de vie (la réincarnation)

Il devint évident, à la suite de ma visite dans l'autre dimension, que ma vie présente est une existence parmi une longue suite d'incarnations. Le but des incarnations multiples est de me faire franchir une ou des étapes afin que je puisse atteindre un certain degré de perfectionnement. Chaque étape que je franchis est prédéterminée; elle m'expose à certaines expériences que je dois franchir pour accomplir ma destinée.

Pour que je m'acquitte adéquatement de mon scénario d'existence préétablie, je dois venir en aide aux autres pour dépasser les étapes respectives de mon incarnation.

J'ai compris qu'il y a une période variable entre chacune des incarnations pouvant aller de quelques instants à plusieurs centaines d'années. Durant mon voyage, j'ai su que le temps moyen entre deux incarnations était d'environ cinquante ans.

Dans l'autre dimension sans temps, les âmes sont égales entre elles : nous sommes tous de la même race, d'un niveau social similaire, de la même taille et sans sexe. C'est lors de son incarnation que l'âme choisit le sexe dans lequel elle vivra.

Le sexe de l'incarnation est en général déterminé par l'âme elle-même, mais il arrive parfois que l'âme s'incarne trop rapidement ou par erreur. Toutefois, il se peut que j'aie des prédispositions à vivre en tant qu'homme ou en tant que femme. C'est pourquoi je dois respecter chacun avant de m'élever en juge et mépriser l'un ou l'autre des sexes. Depuis que je suis revenu au monde, j'ai une tout autre vision du genre humain.

À mon réveil du coma, j'ai entendu parler de karma autour de moi. Chaque culture renferme des notions qu'il est nécessaire de comprendre. Le karma est une croyance orientale, en l'existence d'une multitude d'incarnations pour chaque âme. L'existence d'une âme est prédéterminée par les actes qu'elle a produits au moment de ses vies antérieures. Il devient alors possible pour toute personne de se créer la vie qu'elle désire.

On doit comprendre le karma comme étant l'itinéraire qu'une âme doit parcourir, selon les actions produites dans ses vies antérieures. Cela comprend autant d'actions positives que négatives. Les enseignements véhiculés depuis ma tendre enfance m'engloutissaient dans un climat de craintes et de frayeurs. J'ai compris, avec l'aide de ce que j'ai vécu, la profonde définition de ce mot.

J'entends des remarques et des commentaires sur un karma relié à telle ou telle action. Le pire est toujours au tournant de la rue et la comptabilité des factures karmiques de plus en plus sérieuse! Je conçois qu'un être puisse attirer à lui du positif et du négatif, mais de là à noter dans un petit calepin les bons et les mauvais coups, de soustraire, d'additionner, de multiplier et d'extraire la racine cubique pour connaître le poids du karma à porter, il y a une large marge. Je suis ici et maintenant pour vivre une vie pleine et entière dans la joie. Je veux vivre libéré de la peur du jugement. Il est possible de régler tout karma, c'est-à-dire, le résultat de l'action. Pour ce faire, il suffit d'être conscient de l'erreur commise, de demander pardon et d'agir différemment dans l'avenir. Pour demander pardon, il faut que je m'adresse à la personne blessée par mon action ou encore que j'implore l'Être suprême. Je dois être sincère dans ma démarche.

Je me suis incarné pour compléter des apprentissages. Je provoque ce que je désire dans la vie, le positif autant que le négatif. Je m'organise pour que mon passage soit une expérience enrichissante remplie de joie et de bonheur. Il devient simple de comprendre pourquoi il est essentiel d'aider et de comprendre son prochain. Je m'incarne avec le bagage de mes vies antérieures, mais aussi avec les mêmes *amis*. Je retrouve donc souvent la bande de joyeux copains avec qui il est plaisant de faire des partys d'évolution.

L'anecdote suivante a changé ma vie. Au cours d'une conférence, mon regard s'est posé sur une belle grande femme. Après quelques secondes, je voyais cette personne entourée d'une aura translucide. A l'entracte, je m'approchai d'elle et lui dis : *Je ne sais pas si nous avons déjà vécu ensemble, mais je suis certain que nous avons quelque chose à faire ensemble, maintenant.*

Je savais très bien que nous avions déjà vécu ensemble. Où et quand demeurait cependant un mystère. Je me suis dirigé vers ma tribune en lui laissant mes coordonnées.

Peu de temps après, j'ai reçu son appel. Je l'ai rencontrée et notre relation prit forme. Plus tard, elle était présente au moment où j'ai revécu deux incarnations passées. Son visage m'était apparu en cours de régression. Immédiatement lorsque je suis revenu à moi, je l'ai regardée et lui ai dit : *Sais-tu que tu étais belle en homme?*

Toutes les cellules-mémoires de son corps et de son âme se sont mises à danser de reconnaissance. Je vis dans un ravissement qui ne cesse d'augmenter depuis.

Il devient simple de comprendre les notions de bonne entente. Il devient élémentaire d'accorder autant de considération aux autres que l'on en souhaite pour soi-même.

Je suis conscient, désormais, que chaque action provoque une réaction; c'est la loi de cause à effet. Si je sème le bien, je récolte le bonheur. Par contre, si je sème la discorde sur mon chemin, je m'attendrai à un champ de malheur.

L'existence que j'expérimente est le reflet de tous mes agissements. La vie est le plus beau miroir de mes actions et de mes comportements. J'accueille tout ce qui survient dans ma vie comme étant attiré par moi.

La Vie après la vie

Nous vivons à une époque d'accélération et de grands changements. Les connaissances de l'humanité moderne sont en constante évolution. Au cours des dernières années le contexte de la vie évolue à un rythme effréné.

Les nouvelles techniques de la médecine ont permis que de plus en plus de personnes vivent une EMI semblable à celle que j'ai vécue. J'ai quitté momentanément le monde incarné pour mieux accomplir ma destinée ultérieure. Pourtant, pour la plupart, cela s'avère troublant et traumatisant. Je broyais du noir; mon parcours était obscur. C'était ma destinée, jusqu'au jour où j'ai pris conscience, en posant des questions pertinentes à mon âme :

- QUE PUIS-JE FAIRE POUR RECOUVRER LA SANTÉ DANS LES PLUS BREFS DÉLAIS?

- QUELLE EST LA MEILLEURE FAÇON DE RECONDITIONNER MON ESPRIT POUR OBTENIR UN RENDEMENT OPTIMAL?

- COMMENT PUIS-JE EN RESSORTIR GAGNANT ET PLUS MATURE?

Quelques années passèrent et j'allais de mieux en mieux. Cependant, le message des entités de lumière se faisait de plus en plus présent à mon esprit. Il devenait primordial que je partage, désormais, ce que je savais avec mes semblables. Je veux témoigner de notions simples enfouies dans nos âmes. Ces notions me sont devenues très présentes durant mon voyage. Il me fallait bien comprendre que je suis éternel!

Au cours des siècles, ce concept d'éternité a été si galvaudé qu'aujourd'hui, on ne peut que difficilement faire la part du vrai et du faux. À cause de leurs peurs sans fondement, les êtres humains ont désiré se rassurer. Mais à quel prix l'ont-ils fait? Jusqu'à s'enfouir la tête dans le sable comme des autruches, en se voilant devant la vérité. Au lieu d'affronter la peur de l'inconnu, on l'a refoulée, pour oublier les notions fondamentales concernant notre existence éternelle. Moi, le premier, je fuyais; pourquoi croire en la vie éternelle? Perte de temps! J'avais négligé de m'arrêter à ces questions avant l'impact. J'ai dû réviser mon point de vue.

Au cours des dernières années, un message concernant un des mystères de la vie me revenait constamment à l'esprit. Après sept mois d'intenses recherches, la lumière éclaira mon âme alors que je l'expliquais à un ami. Je pris une feuille de papier et j'illustrai pour lui les cycles de la vie.

– Regarde : la vie est ainsi divisée et elle se compose de plusieurs incarnations. Le corps dans lequel notre âme prend place a une durée de vie limitée; l'âme est éternelle et revient.

À ce moment, j'ai réalisé qu'après tout ce temps, j'avais découvert que la seule véritable façon d'expliquer cette notion simple était de la dessiner.

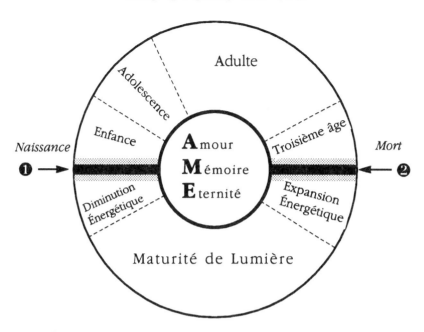

❶ *Zone de transition vers l'incarnation terrestre*
❷ *Zone de désincarnation*

L'âme qui désire s'incarner aura à suivre une ligne de vie préétablie. Pour ce faire, elle envisage les différentes avenues qui seront les plus susceptibles de compléter les apprentissages déjà amorcés. Il lui faut donc choisir les circonstances, l'environnement, l'époque pour assumer ses karmas. Il est essentiel de savoir que nous choisissons tout l'environnement de la prochaine incarnation : les parents, la famille, le statut social, l'éducation, les relations et le scénario de vie...

Voyons d'abord la naissance. Mon âme a choisi délibérément le milieu familial dans lequel je vis, c'est-à-dire le climat social nécessaire à mon évolution. Il est cependant vrai que, dans ma vie, j'ai le libre arbitre. J'ai la possibilité de m'éloigner ou de me rapprocher de mon scénario de vie préétabli. Par mes décisions, je pourrai vivre la destinée qui m'intéresse. Je progresse normalement. Un jour, alors que mon enveloppe deviendra fatiguée et défraîchie, je la quitterai et délaisserai notre dimension pour une autre.

Il y a une ligne prédéterminée. Cependant, j'ai toute la latitude pour que ma route soit pavée de fleurs plutôt que de gravier. Je suis l'ultime juge responsable de mes actions.

Il peut survenir une situation troublante. L'âme est désorientée et ignore que le moment est venu de quitter le plan terrestre pour rejoindre la dimension de lumière. Elle cherche sans succès à réintégrer l'enveloppe charnelle. L'âme confuse se résigne et va vers la lumière. Ensuite, elle traverse une zone de transition, pour se préparer à l'avènement de l'entité de lumière. Cette dimension existe pour se permettre de délaisser les valeurs matérielles du monde des incarnés.

C'est dans cette zone que sont prises les personnes qui ont commis un suicide. C'est là que j'aurais pu me retrouver si je m'étais laissé anéantir par la dépression. Les individus sont prisonniers dans ce couloir, entre deux plans, ignorant qu'ils sont décédés. Une entité de lumière est incapable de venir en aide à ces âmes errantes. Elles doivent compter sur le monde des vivants prêt à leur porter secours.

L'âme errante se sent seule et incite des personnes incarnées vulnérables à venir les rejoindre à travers un suicide. Cela explique les vagues de suicide. La prière est un des moyens de leur venir en aide. Ces âmes sont invitées à se diriger vers la Lumière et à s'y fondre afin d'accéder à la paix céleste. Quand je fais cet exercice, je demande à la puissance infinie de les accueillir.

Une fois la transition opérée, toute âme fait une expansion énergétique auprès des entités qui ont décidé de vivre seulement dans la dimension de lumière et une restructuration de leur provision d'énergie. La nourriture de l'âme est accumulée durant l'incarnation terrestre. Voilà pourquoi l'âme doit se réincarner. Elle a besoin de cette nourriture énergétique.

L'accumulation de cette nourriture devient possible grâce aux actions d'amour durant l'incarnation. Plus l'âme déploie d'actions constructives et positives, plus elle accumule d'énergie vitale. Seules, les âmes qui ont fait le choix d'évoluer éternellement dans la dimension de lumière et les êtres réalisés ont la possibilité de recevoir ce don énergétique.

Ensuite, l'âme fait son entrée dans la Maturité de lumière. Dans cet espace, l'évolution est similaire à l'âge adulte du plan terrestre où il est possible de réaliser son ambition.

Si mon ambition est de devenir un ange gardien ou un guide, j'aurai la possibilité de le faire. Il faut bien comprendre, cependant, qu'un Guide a la possibilité de porter secours uniquement et seulement si le guidé en exprime le souhait. Comme le dicton populaire le dit si bien : Demandez et vous recevrez ou encore : Aide-toi et le ciel t'aidera.

Suite à ces étapes, se produit une diminution énergétique qui attire l'âme vers une autre incarnation. C'est comme si je constatais que le réservoir d'essence de ma voiture est pratiquement vide et que je dois aller refaire le plein. Alors, je serai naturellement attiré vers une nouvelle incarnation.

L'âme pénétrera à l'intérieur d'une autre zone de transition pour lui permettre d'effacer la majeure partie de sa mémoire, après avoir prédéterminé son prochain scénario de vie.

Comme au moment de mon EMI, la notion du temps est seulement valable pour les êtres incarnés, car ce continuum est inexistant dans l'autre dimension. Aussitôt que j'ai quitté le monde des incarnés, mon âme a baigné dans un espace d'Amour sans temps. Le temps est une invention strictement humaine.

L'âme est une vibration. Les religions modernes ont galvaudé la définition de la vie éternelle. L'homme contemporain oublie de séparer le subtil de l'épais, l'âme de l'enveloppe physique. La vie est constituée d'une multitude d'incarnations, ayant chacune pour objet de faire évoluer. Mon âme a besoin de plusieurs incarnations pour atteindre le degré d'évolution qu'elle recherche et qu'elle doit atteindre.

Plusieurs sont surpris lorsque je leur dis être catholique croyant et pratiquant. Ils me demandent souvent si j'ai des problèmes de conscience. Je leur réponds invariablement que non et que je dors très bien.

J'ai la ferme conviction qu'au cours des années futures, la vérité resurgira et que nous serons enfin affranchis des mauvaises interprétations religieuses. Au cours des siècles, les hommes ont malheureusement délaissé un concept fondamental, celui de la réincarnation. Le Nouveau Testament, pourtant, autorise la notion de la réincarnation. Nous sommes tous éternels, puisque la grâce et le pardon de Dieu sont perpétuels et chacun est destiné à la perfection. Il faut cependant comprendre que toutes les actions comportent une récompense ou un châtiment proportionnel à l'acte.

En tant qu'être humain, le dessein de mes vies est de maîtriser mon ego, de demeurer humble. Il est toutefois essentiel à chacun de laisser l'espace voulu pour que son ego se développe adéquatement. Je suis incarné pour vivre en harmonie avec l'univers et la divinité. Ainsi l'objectif de mon âme est d'atteindre mon achèvement pour accéder à un plan supérieur. C'est la loi qui régit ce monde; son application est mon objectif.

Les mémoires de mes vies passées étaient absentes, tout comme chez la majorité de mes semblables, afin de faciliter mon cheminement. Par des méthodes de recueillement, il est possible d'accéder à des vies antérieures, mais les souvenirs sont toujours imprécis. C'est voulu ainsi, car la nostalgie du passé pourrait s'emparer de mon âme. Cependant, si je suis attentif aux tressaillements de mon âme, il sera possible de découvrir d'étonnants souvenir d'incarnations antérieures. Plus l'on régresse, plus la difficulté s'accentue. La perfection de la vie agit pour que des informations pertinentes éclatent à des moments opportuns de notre cheminement.

Le temps venu de quitter le monde incarné, la personne décédée se détend et délaisse son corps dans les cinq minutes. Confuse, l'âme ignore ce qui survient et tente en vain de réintégrer l'enveloppe qui lui servait de corps. Après plusieurs tentatives, elle se résigne, attirée dans une autre dimension pour rejoindre la Source. Je dois me préparer, mais aussi vivre pleinement chaque instant de mon incarnation présente. La vie est très belle, selon la couleur que je lui donne. Je fais de ma vie une expérience agréable et enrichissante.

Tout, dans la vie,
se résume à une seule et grande réalité :
l'expérience.
D'une incarnation à l'autre,
nous allons toujours en nous améliorant.
(Yves-Alain Duranleau)

Mon EMI

Des personnes me disent, d'un air assuré, que je fais un genre de *delirium tremens* et que j'ai l'imagination très fertile. Je sais, toutefois, ce que j'ai été à même de constater, ce que j'ai vécu et vu. Je peux rassurer le lecteur sur la véracité de mes dires. Les propos que ce livre renferment sont les résultats d'une longue et rigoureuse analyse, de méditation quotidienne et de profonde réflexion. J'ai été le premier à me demander s'il s'agissait d'une hallucination. Ma conclusion est qu'il est absolument impossible que mon imagination ait inventé tout ce que j'ai rapporté. Avant cet accident, jamais ce phénomène n'avait attiré mon attention, jamais!

Des informations additionnelles me parviennent à tout moment. Il est clair, maintenant, pour moi, que toute âme a un mandat à exécuter, une raison de s'incarner. Par la prière et la méditation, il devient possible de questionner mon âme et de découvrir le rôle que j'ai à jouer. Je sais que j'ai vécu une expérience extraordinaire où ma conscience céleste est née spontanément. Toute personne peut aspirer à ce genre d'ouverture d'esprit; il suffit d'effectuer un travail sérieux sur soi. Je vous invite à le faire de votre vivant, c'est mieux que d'avoir à côtoyer la mort de très près, de trop près.

A la suite de cette expérience, j'ai réintégré le monde matériel et physique avec un amour inconditionnel de la vie. Cet amour oriente ma nouvelle vie, gouverne mes actions afin de lever l'autre côté du rideau de l'esprit.

Je suis dans un état altéré de conscience. Tout être qui vit une expérience telle que la mienne entre dans l'état cosmique, c'est-à-dire qu'une partie de mon âme est demeurée dans l'autre dimension. C'est pourquoi je reçois continuellement de nouveaux messages. Longtemps, j'ai eu d'énormes difficultés à m'enraciner, à ressentir mon corps. Encore aujourd'hui, face à mon clavier d'ordinateur, je me sens repartir vers l'astral. (Parfois je le demande...)

Je contrôle bien ce phénomène et cela survient lorsque que je suis détendu et en sécurité. Au début, à la suite du coma, je me demandais ce qui se passait. Mon âme quittait mon corps à tout instant. Je me souviens qu'une fois où j'étais passager en automobile, je suis sorti de mon corps. Avec le temps, j'ai appris à conjuguer au présent, ici et maintenant.

Je sais que le mandat d'une âme incarnée est de vivre pleinement le moment présent sur Terre. Je suis en liaison avec l'autre dimension à cause d'une partie de mon âme qui a quitté définitivement le plan incarné. Cela me permet d'être plus à l'écoute des messages que les êtres de lumière désirent que je transmette.

Chacun envisage la vie et la mort à sa façon, mais la mort devrait être synonyme de passage. Elle est définie comme étant une cessation complète et définitive de la vie, alors qu'elle est simplement un transfert, une transition vers une autre existence. C'est notre égoïsme et notre manque de compréhension qui nous font craindre ce trépas. Notre peur de l'inconnu fait qu'une crainte permanente s'installe en nous. Voici un exercice simple. Il importe de bien lire les consignes avant de débuter.

- *Pour bien faire cet exercice, installez-vous dans un endroit calme, avec une lumière tamisée.*
- *Je vous recommande de vous placer face à une bougie allumée.*
- *Les yeux fermés, fixez la flamme.*
- *Après quelques instants, une fois à l'aise, posez à votre âme une question sur un mystère vous concernant.*
- *Toute interrogation possède sa réponse correspondante.*
- *Je vous invite à aller chercher ces réponses.*

Les réponses qui éclaireront votre esprit seront à prime abord difficiles à décoder. Avec de la pratique, un raffinement vous rendra cette méthode familière. Alors la confiance resplendira sur tout votre esprit.

Suite à cette expérience, je suis devenu une personne éveillée, éclairée avec une très grande sérénité, bien que mon retour à la conscience, après l'accident, fût psychologiquement douloureux. J'ai compris très rapidement qu'il tenait à moi de ressortir l'essence positive de cette expérience que la vie m'offrait. Afin de bien saisir tout ce qui m'arrivait, j'ai fréquemment interrogé mon âme. Ce procédé est facilement accessible. Je vous invite à l'expérimenter. Vous serez surpris, comme je l'ai été.

Expérimenter la mort comme je l'ai fait, tient du prodige. En ressortir sur mes jambes, même chancelantes, l'est davantage. Des forces, repliées à l'intérieur de moi, attendaient. Ces forces sont en chaque personne. Elles patientent avant d'être enfin découvertes. Souvenez-vous toujours que nous sommes à l'image du Créateur.

J'ai voulu que cette expérience exceptionnelle soit un enrichissement pour mes semblables. À vrai dire, les êtres de lumière avaient bien planifié ma destinée. Ils ont voulu me démontrer l'image du futur auquel je suis destiné; à moi, maintenant, de générer le scénario de ma vie prochaine. Si j'ai dû traverser tant d'épreuves, c'était dans un but bien défini : accomplir mon destin. La sagesse illimitée des Maîtres de lumière aiguillonne mon existence entière vers l'endroit qu'ils savent le plus pertinent.

Que ton aliment soit ton remède
et ton remède, ton aliment.
(Hypocrate)

Comment se comporter face à la maladie

La véritable clef de ma guérison et de toute guérison est simple : c'est l'AMOUR inconditionnel. L'amour guérit tout. C'est pourquoi la véritable méthode pour guérir une maladie est de l'envelopper d'une énergie d'amour. J'ai dû être irradié par cette énergie. Dans un premier temps, lorsque j'étais inconscient, ce sont des amis et ma famille qui m'ont injecté cette énergie à forte dose. Dans un deuxième temps, c'est l'amour que je donnais qui m'était rendu au centuple. C'est à ce moment que j'ai compris qu'en donnant sans compter, je recevrais encore plus en retour.

La même méthode s'applique aussi lorsque je visite un convalescent. Que la personne soit consciente ou non, il est important de lui injecter une dose d'amour vivifiante. Une maladie, quelle qu'elle soit, est anéantie quand elle est confrontée à la chaleur aimante. Une personne inconsciente ressent ces vibrations enveloppantes de tendresse.

Si vous vous sentez gauche et maladroit, demandez l'aide de vos guides, comme je l'ai fait au début. Ils connaissent les vertus de cette puissance d'action. Il importe de conserver à l'esprit que l'Amour guérit tout. Doublé du suivi approprié d'un médecin qualifié, cela équivaut à une formule gagnante.

J'ai appris à aimer l'être atrophié que j'étais, même si j'étais refermé comme une huître. Une personne consciente doit apprendre à s'aimer pour émerger de l'épreuve qui l'afflige. Il est possible que, comme moi, vous ayez une période de révolte et que vous désiriez rester entre vos quatre murs. J'ai fait selon ce que je ressentais à chaque étape. Il est plus valorisant de sortir soi-même de son cocon, que d'être sorti *manu militaris*.

L'organisme a la possibilité de produire une drogue naturelle. Cet état passionné a injecté à mon organisme un calmant qui m'a aidé à guérir. L'essentiel est de rayonner avec un sentiment d'amour de la vie sur mon être, principalement sur le segment qui souffre.

Ainsi, la guérison est bidirectionnelle. J'ai donc tout à gagner à aller rendre visite à une personne nécessiteuse. Cette visite est semblable à un miroir et me réfléchit mes propres rayons. Donc, ma présence a un double impact : elle aide un être cher en voie de guérison et transmet à mon organisme une haute dose de vitamines d'amour, comme l'explique si bien un grand penseur du XXième siècle, Peter Roche de Coppens.

Par la foi, nous sommes libres d'aimer.
(Auteur Inconnu)

Dieu est tout,
la Totalité.
(Penda)

La réalité de la Foi

Je demande au lecteur de lire avec un esprit d'enfant, libre de tout préjugé, mû par un sentiment neuf. J'ai eu, moi-même, une candeur d'enfant au moment où j'ai découvert ces évidences concernant l'amour.

Comme mentionné précédemment, nous vivons une incarnation terrestre pour apprendre à aimer. L'amour est la base d'une incarnation, incluant celui de soi-même. La foi doit être prise au sens large, ce qui implique la maîtrise d'un amour inconditionnel vis-à-vis des autres êtres vivants. Avoir confiance en autrui signifie avoir foi en son propre potentiel. Si j'avais entretenu la crainte d'aimer, j'aurais été anxieux d'être aimé en retour.

Je suis revenu à la vie avec la foi en la vie plutôt qu'une foi en une religion. J'ai tout de même compris qu'il est important de bien étudier la religion dans laquelle on a été baptisé. Il est élémentaire de pratiquer cette religion adéquatement, avant de se convertir à un autre culte, si besoin est. Toutes les religions détiennent la vérité. C'est l'emballage qui diffère.

Avoir foi en Dieu implique que je doive avoir foi en d'autres personnes, car le Divin est présent en chacun. Seulement une personne qui a foi en elle-même peut expérimenter la foi en d'autres êtres.

Pour ressentir l'essence d'une autre personne il faut être persuadé de sa propre honnêteté, de sa sincérité et des dispositions essentielles de son coeur. Si j'ai foi en moi-même, je serai disposé à avoir foi dans les autres. Ce qui importe, en amour, c'est d'avoir confiance dans son propre altruisme, dans sa disposition à susciter l'amour venant des autres et dans sa persistance. Ma foi demande cette audace : une disposition à m'engager dans des chemins risqués, tout en étant prêt à me soumettre à la douleur et la déception.

Il importe de rendre grâces pour ce que j'ai et de me souvenir que tout ce que je demande avec foi, je le recevrai. Toutefois, ma demande doit être formulée de façon positive, dans l'intérêt de tous.

Comme la parabole le dit, *la foi est une semence que l'on met en terre*. Si les êtres humains vivaient conformément aux lois divines, ils seraient tous en santé.

Nous ne sommes pas des êtres humains
qui vivent une expérience spirituelle.
Nous sommes des êtres spirituels
qui vivent une expérience humaine.
(Wayne Dyer)

Le sens des événements de ma vie

Depuis mon incursion dans la dimension des esprits de lumière, je suis convaincu que j'ai provoqué ce qui survenait dans ma vie. Le résultat de mes actions me revient comme un boomerang.

Toutes les actions que j'ai posées dans ma vie me sont rendues au centuple. Cette remise peut venir d'une personne qui, souvent, ignore que j'ai commis un geste similaire par le passé. Je dois découvrir mon potentiel divin et l'utiliser à bon escient pour augmenter la valeur de ma vie. Si j'ai vécu un accident dramatique, je peux dire aujourd'hui que c'est moi qui l'ai provoqué. Par mes agissements antérieurs dans cette vie, j'ai vraiment provoqué mon destin, qui aurait pu tourner au tragique, mais j'ai su très tôt me poser des interrogations sur ce qui m'arrivait.

La richesse de tout être humain se trouve en lui. Il y a un trésor dissimulé à l'intérieur de chaque être de cette Terre, car à l'intérieur de chaque personne se trouve une partie de l'essence de Dieu.

J'ai été invité à faire jaillir cet esprit divin qui sommeille en moi. Il est là et demande à rendre service. J'ai appelé la Source qui dort en moi. Si je me permets de tenir le discours que je tiens en ce moment, c'est qu'il m'a été permis de revenir à la vie et d'en témoigner, de dialoguer avec mes frères et soeurs de la dimension de lumière pour dire qu'il est inutile d'attendre le genre d'éveil que j'ai subi pour goûter la vie.

Il est primordial de bien saisir qu'il m'a été possible de tracer mon itinéraire de vie et d'atteindre le genre d'existence que je mérite. Il est évident que j'ai eu la chance de prendre connaissance de certains karmas afin de les annuler. Mais je suis convaincu qu'il est possible à chaque être de la Terre de dépasser son karma, par des agissements positifs et une contribution à la collectivité.

Ce qui importe vraiment, ce sont les actions de ma vie présente. Alors, je vis le moment présent. J'ai la certitude que ma vie sera embellie dans un proche avenir. Faites de la vôtre une merveilleuse aventure remplie de moments inoubliables.

*La Vie doit être
une expérience formidable
qui se déploie dans le respect de tout,
afin de vous apporter bonheur et joie.*
Yves-Alain Duranleau

Ami, amie,

Je tiens à vous remercier d'avoir lu ce message simple. Je formule le souhait sincère que ce livre puisse vous aider dans votre cheminement. Il est évident que, s'il a attiré votre attention, vous étiez prêt à le lire.

J'espère avoir le privilège de vous rencontrer un jour!

Cet ouvrage m'a été demandé par les Maîtres de lumière, dicté par mes guides. J'ai essayé de retranscrire le plus fidèlement possible les leçons vécues et inculquées.

Je vous aime,

Yves-Alain

Pour communiquer à l'auteur vos expériences ou vos commentaires, veuillez écrire à l'adresse suivante :

Yves-Alain Duranleau
C.P. 182
Granby, Qc., Canada
J2G 8E4

BIBLIOGRAPHIE

MICA, *Uriel, la planète et toi,* Louise Courteau, éditrice, 1992.

PENDA, *Au nom de l'Amour inconditionnel,* Louise Courteau, éditrice, 1993.

RENARD Hélène, *L'après-vie,* éd. France Loisir, 1986.

ROBBINS Anthony, *Pouvoir illimité,* (Réponse), éd. Robert Laffont, Paris, 1989.

VAN EERSEL Patrice, *La source noire,* éd. Grasset & Fasquelle, France, 1986.

• Cap-Saint-Ignace
• Sainte-Marie (Beauce)
Québec, Canada
1994

«L'IMPRIMEUR»